No habrá más penas ni olvido

Novela

Biografía

Osvaldo Soriano (1943-1997) comenzó a trabajar en periodismo (*Primera Plana*, *Panorama*, *La Opinión*) a mediados de los años 60 y se dio a conocer como escritor en 1973 con su originalísima novela *Triste, solitario y final*. Si bien publicaría sus dos libros siguientes (*No habrá más penas ni olvido* y *Cuarteles de invierno*) durante su exilio en Europa, la aparición de ambos en la Argentina en 1982 lo convertirían *in absentia* en el autor vivo más leído del país. Su retorno con la democracia y su rol como alma mater del diario *Página/12* reforzarían aun más este vínculo con los lectores: cuatro novelas más (*A sus plantas rendido un león*, en 1986; *Una sombra ya pronto serás*, en 1990; *El ojo de la patria*, en 1992 y *La hora sin sombra*, en 1995) y cuatro volúmenes con sus mejores crónicas periodísticas (*Artistas, locos y criminales*, en 1984; *Rebeldes, soñadores y fugitivos*, en 1988; *Cuentos de los años felices*, en 1993 y *Piratas, fantasmas y dinosaurios*, en 1996) habrían de convertirlo en un clásico contemporáneo de la literatura argentina.

Osvaldo Soriano
No habrá más penas ni olvido

Prólogo de José Pablo Feinmann

Soriano, Osvaldo
      No habrá más penas ni olvido.- 1ª ed. – Buenos Aires :
Booket, 2007.
      152 p. ; 19x13 cm,

      ISBN 978-987-580-214-8

      1. Narrativa Argentina I. Título
      CDD A863

Edición a cargo de Juan Forn
con la colaboración de Ángel Berlanga Marín

Diseño de cubierta: Peter Tjebbes
Ilustración: Rep

© 2003, Herederos de Osvaldo Soriano
© 2003 del prólogo, José Pablo Feinmann

© 2006, Emecé Editores S.A. / Seix Barral

Derechos exclusivos de edición en castellano
reservados para España y América Latina
© 2007, Grupo Editorial Planeta S.A.I.C. / Booket
Independencia 1668, C 1100 ABQ, Buenos Aires
www.editorialplaneta.com.ar

3ª edición argentina: agosto de 2007
(1ª edición argentina del sello Booket)

ISBN 978-987-580-214-8

Impreso en Gráfica MPS SRL,
Santiago del Estero 338, Gerli,
en el mes de julio de 2007.

Hecho el depósito que prevé la ley 11.723
Impreso en la Argentina

Prólogo

por JOSÉ PABLO FEINMANN

Lo primero que noqueaba (porque esta novela noqueaba, noquea y seguirá noqueando) era la asimetría entre la dimensión de la tragedia narrada y el minimalismo de los recursos narrativos. Empezar así, con un diálogo, abriendo guión y largando esa frase ("Tenés infiltrados") era una bofetada a la literatura universal, o un recurso poderoso, una apuesta tenaz de la que el autor no renegaría en el vértigo que se avecinaba. Soriano venía a contar una historia, y la historia era tan gigantesca que toda opulencia del lenguaje habría de dañarla, desmerecerla. Si el *Facundo* empieza con una grandiosa invocación grecolatina, si reclama a un muerto ilustre que se levante de entre sus cenizas ensangrentadas para explicarnos los secretos de las convulsiones de un "noble pueblo", Soriano no tiene tiempo para tanta alharaca. Escribe como si corriera, escribe en busca de hechos opacos, escurridizos, ostensibles y, a la vez, indescifrables. Y

5

pareciera creer que si uno de esos hechos, uno solo, se le escapa, el todo se vuelve incomprensible. O peor aún: inenarrable.

¿Cómo narrar lo excesivo? ¿Cómo narrar una guerra en la que todos se matan y mueren invocando a un Ausente? ¿Cómo narrar —por ejemplo— la muerte del jefe de bomberos? Es el instante más irracional de una novela consagrada a expresarlo, a expresar la muerte de la razón y el triunfo devastador de la pulsión de muerte. Es, también, un episodio lateral. A mí —al leerlo hace muchos años y al releerlo ahora— me quitó la respiración. Ese hombre simple, ese jefe de bomberos, ante la visión de un incendio tan apocalíptico que —sabe— jamás podrá apagar ni atenuar, mira a los desaforados protagonistas de esa historia sin contornos y murmura: "Dios los proteja". Y luego, con infinita sencillez, el narrador (ese narrador-testigo, ese narrador-espejo que jamás emite una opinión, que jamás mancha con su subjetividad la materia esencial de lo narrado) describe: "Se llevó la pistola a la sien derecha y apretó el gatillo".

Esta economía expresiva es fundante en el lenguaje-Soriano. Torpemente, se dijeron sobre ella vacuidades de triste memoria. Que la novela no era tal cosa sino un mero guión de cine, por ejemplo. Alguna vez habrá que revisar las valoraciones de los operadores de la universidad alfonsinista de los 80, que, entre otras cosas, eligieron a Soriano blanco dilecto de sus agravios. No es el momento. Pero la economía expresiva del autor se leyó como pobreza de lenguaje, como escritura fácil, como sencillismo. Entre tanto se ensayaba una exaltación del arte pop, se leía a Puig desde Warhol y Lichtenstein, se le elogiaba su escamoteo del "narrador convencional" y se adhería a la vieja teoría barthesiana de la muerte del estilo. O del autor. Se exaltaba la literatura de Saer y se encontraban allí los restos inteligentes de un tardío *noveau roman*, esa estética que elimina la historia, el sujeto y consagra la absolutización del objeto. A su vez, la novela de Piglia, *Respiración artificial*, era un texto omnipresente, hipercanónico, que arrojaba sombras condenatorias sobre los restos indignos, insignificantes de la literatura argentina.

De esto no eran culpables ni Saer ni Piglia. Eran, en todo caso, elementos de un aparato cultural poderoso. Escribe el filósofo Raúl Cerdeiras: "A *Punto de Vista*, *La Ciudad Futura*, *El Club Socialista*, en definitiva, al alfonsinismo, le asignaron los laureles de la democracia, que después de un arrepentimiento público por las locuras de su juventud y de escupir una y mil veces sobre la tumba del viejo Marx, fueron premiados con todo el aparato cultural de la Universidad de Buenos Aires" (*Acontecimiento*, Nº 24/25, 2003). Fueron los pequeños discípulos de tan vastos maestros quienes se arrojaron sobre el lenguaje de Soriano y sus historias "sencillistas". No fue un odio liviano, pasajero. Fue una épica. En los 80 cundía el "pensamiento débil" de la posmodernidad pero en los odios, exclusiones y silencios, los espacios se defendían y se conquistaban a dentelladas. Recuerdo el comienzo de un soneto de un "joven poeta" de esos años: *"Mezcla de monja y de culo / porque es sor y ano"*. De ese "joven poeta" ni el nombre recuerdo (aunque si me lo preguntan sin duda sabré decirlo). De Soriano (a seis años de su muerte) se publican sus obras completas. Sin embargo, no le hicieron fácil la vida. Jamás diría —como algunos dicen— que lo mataron, pero siempre que les fue posible pusieron veneno, abundante, en su café.

La complejidad de esta novela es irresoluble. Se podrá —como se puede y acaso se debe— leer de "un tirón". Son algo más de cien páginas, de oraciones breves y abundantes diálogos. Sin embargo, no tiene fin. Narra la imposible comprensión de lo incomprensible. Pareciera que hay "buenos" y hay "malos". Pareciera que el problema moral está resuelto. Pareciera que los "malos" se quedan con la victoria de la batalla y los "buenos" con la pureza del alma. Pero hay algo demasiado incómodo. Todos —"buenos" y "malos"— creen en lo mismo. Luchan por un ideal que se resume en un solo nombre. El de Perón, el del Ausente. Se trata, claro, de una guerra civil, y en este tipo de guerras todos dicen luchar por la patria, por la "misma" patria. O más claramente: por una interpretación de esa patria. No se ve tal cosa en la novela de Soriano. Porque el "sentido" no está en manos de los protagonistas. La decisión sobre la "verdad" la tiene el

Ausente, y el Ausente no habla, no está; mal puede, así, establecer el "sentido". Todos matan y todos mueren sin saber por qué. Por Perón, por una lejanía.

Una de las modalidades de ser argentino es tener que explicar interminablemente qué es el peronismo. Es muy fácil. Soriano lo explica. "Soy peronista", dice Mateo, uno de sus personajes. "Nunca me metí en política". Si meterse en política es elegir una opción entre muchas, ser peronista es no meterse, no elegir, ser parte del todo, de la simple y sencilla vida vivible. El sindicalista Lorenzo Miguel tenía una definición semejante: "Ser peronista es comer tallarines los domingos con la vieja". En el vacío infinito que abren estas indefiniciones entra todo. Ser peronista es ser tanto que es ser todo. Al ser todo, ser peronista es ser nada. Así, cualquiera puede acusar a otro de no ser algo que es todo, que contiene a todos y autoriza a todos a decir que "los otros" son otra cosa. ¿Cómo puedo morir por la exacta, idéntica causa que matará a quien ahora me mata? En esa indefinición, en esa totalidad que se confunde con la nada al no instaurar un sentido, lo que vive es la Muerte. El "sentido" está afuera. El "sentido" es posesión del Ausente, que solía definirse a sí mismo como "Padre Eterno". Llegamos al punto en cuestión: el Ausente ocupa el lugar de Dios. Todos creen en él, esperan su bendición, saben que cuando "vea", cuando "sepa", les dará la razón, y todas las muertes habrán tenido el sentido que las redimirá, que las hará tolerables.

Pero no. El Ausente no viene, no ve, no habla. Caramba, ¿por qué pedirle un sentido al peronismo si la historia misma no lo tiene? ¿O acaso los hombres, en los campos de batalla, supieron alguna vez el sentido último de sus propias muertes? El *Angelus Novus* de Benjamin no veía en la Historia una "cadena de datos" (un sentido, una racionalidad), sino "una catástrofe única que amontona incansablemente ruina sobre ruina". Así queda Colonia Vela (el lugar en que Soriano expresa la condición humana) al final de la novela: sólo la catástrofe, sólo las ruinas. El autor, no obstante, sale aquí de su distanciamiento, de su grado cero, y elige. Hay personajes que son los suyos, los que él ama. Equivocados o no, manipulados, torpes, infinitamente lejanos de los sitios donde sus destinos se resuelven, clavan su mirada en el horizonte y creen —en la pureza de sus corazones— que el nuevo día será mejor que el anterior. Porque será un día peronista.

julio 2003

No habrá más penas ni olvido

A la memoria de mi padre.

Mi Buenos Aires querido
cuando yo te vuelva a ver
no habrá más penas ni olvido.

CARLOS GARDEL

I

—Tenés infiltrados —dijo el comisario.

—¿Infiltrados? Acá sólo trabaja Mateo y hace veinticuatro años que está en la delegación.

—Está infiltrado. Te digo, Ignacio, echalo porque va a haber lío.

—¿Quién va a hacer lío? Yo soy el delegado y vos me conocés bien. ¿Quién va a joder?

—El normalizador.

—¿Quién?

—Suprino. Volvió de Tandil y trae la orden.

—Suprino es amigo, qué joder. Hace un mes le vendí la camioneta y todavía me debe plata.

—Viene a normalizar.

—Normalizar qué. Estás leyendo muchos diarios vos.

—El Mateo es marxista comunista.

—¿Quién te metió eso en la cabeza? Mateo fue a la escuela con nosotros.

—Se torció.

—Pero si lo único que hace es cobrar los impuestos y arreglar los papeles de la oficina.

—Yo te aviso, Ignacio, echalo.

—Cómo lo voy a echar, gordo. Se me va a venir el pueblo encima.

—¿Y para qué estoy yo?

—¿Para qué estás?

—Para cuidar el orden en el pueblo.

—Vamos, gordo, vos estás jodiendo. Andá a la mierda.

—Te digo en serio. Suprino está en el bar. Te va a ir a ver, te va a aconsejar.

—Que me pague lo que me debe antes. Si no, te lo voy a denunciar.

Ignacio salió de la comisaría. Dos agentes que estaban en la puerta, bajo un árbol, lo saludaron. Montó en la bicicleta y pedaleó despacio. Iba pensativo. El sol calentaba con treinta y seis grados esa mañana. Cuando llegó a la esquina aminoró la marcha y dejó que cruzara el camión de Manteconi que repartía los sifones. Pedaleó hasta la otra cuadra, en pleno centro del pueblo, y paró frente al bar. Dejó la bicicleta en la vereda, a la sombra, y entró. Se sacó la gorra y saludó con una mano; le contestaron dos viejos que jugaban al mus. Fue hasta el mostrador.

—Hola, Vega. ¿Lo viste a Suprino?

—Recién se va. Está alborotado. Se fue a verlo a Reinaldo a la CGT. ¿Va a haber huelga?

—¿Dónde?

—Acá. Dice Suprino.

—Puta che, están todos locos. Dame una coca-cola.

La tomó de la botella, a tragos largos.

—¿Qué pasa, Ignacio?

—Qué sé yo. ¿Qué más te dijo Suprino?

—Poca cosa. Que vas a renunciar.

—¿Yo?

—Vos y Mateo. Dice que son traidores.

—¿Eso dijo?

—Sí.

—¡Hijo de puta!

—Que sos traidor. Lo dijo delante de Guzmán.

—¿Qué hacía el martillero acá?

—Lo estaba esperando, me parece. Se fueron juntos a la CGT.

—Vos sabés que Guzmán no es peronista. Nos cagamos a golpes por eso en el 66.

—En la plaza, me acuerdo.

—Me hizo meter preso por peronista cuando Soldatti era comisario. Cobrame.

—No —Vega sonrió con su dentadura amarillenta y despareja—. Si te vas a quedar sin trabajo.

—Bueno, chau.

Ignacio tomó la bicicleta y pedaleó fuerte. Un golpe de Estado. Una sonrisa amarga apareció en su cara: "A mí me van a enseñar a ser peronista". De pronto sintió un extraño brío. Nunca pensó que tendría que enfrentar un golpe de estado, como Perón, como Frondizi, como Illia. Llegó a la plaza. Dejó la bicicleta contra un banco y caminó hasta la arboleda más tupida. Eran las once y la plaza estaba desierta por el calor. Se sentó en el césped y sacó un cigarrillo.

—¿Cómo le va, don Ignacio? —dijo el placero.

—Dejame que voy a pensar. Andá a regar más allá.

Se tapó la cara con las manos. "Me quieren mover el piso", se dijo en voz alta. Fuera de la plaza, los parlantes empezaron a vocear propaganda. Trató de repasar la situación. Suprino era secretario del partido. Ignacio lo había mandado el día anterior a Tandil a pedir al intendente que votara la partida para ampliar la sala de primeros auxilios. Volvió agrandado y consiguió meter en algún asunto al comisario y a Guzmán. Ahora lo querían joder. "Pero el pueblo me eligió a mí. Seiscientos cuarenta votos. ¿Qué es eso de que Mateo es comunista? Cuando lo echaron a Perón, en el 55, ya estaba en la municipalidad. Estuvo después, estuvo siempre. Nunca le pregunté si era comunista. Bolche es Gandolfo. De siempre fue, pero lo saben todos. Es el único en Colonia Vela. Tiene la ferretería y nadie lo jode. Si hasta estuvo en la comisión vecinal una vez. Y yo soy infiltrado de qué, la puta que los parió; los voy a meter a todos presos, carajo".

—¡Che, Moyanito, vení!

El placero soltó la manguera y caminó apurado.

—Diga, don Ignacio.

—Decime, ¿qué te parece si los meto presos a Guzmán y a Suprino?

—¿Qué hicieron, don Ignacio?

—Se han sublevado.

—¿Qué es eso?

—Me quieren echar.

—¡A usted!

—Sí. A mí y a Mateo.

—¡Pero don Mateo de qué va a vivir! ¡Tiene la señora enferma y la hija estudia en Tandil!

—Nos quieren echar.

—¿Por qué, don Ignacio?

—Dicen que no soy peronista.

—¿Que no es peronista? —el placero se rió—; yo lo vi a usted a las piñas acá con Guzmán por defenderlo a Perón.

—Los meto presos.

El viejo placero se quedó pensando.

—¿Y qué dice el comisario?

Ignacio recibió la pregunta como un hachazo. Se paró y corrió hacia la bicicleta.

—¿Dónde está el comisario?

El preso que lavaba el zaguán levantó la vista y se cuadró.

—Adentro, con el oficial Rossi y los seis milicos. Me

23

sacó del calabozo y me mandó que lavara la bandera y el piso.

Ignacio entró. La oficina estaba desierta. Salió al patio y los vio. El comisario estaba frente a la tropa y Rossi a su lado, con el uniforme más limpio. Alcanzó a escuchar que el comisario gritaba: "para terminar con el enemigo apátrida que se ha infiltrado en Colonia Vela".

—Venite a mi oficina, Rubén.

—No me des órdenes, Ignacio.

—Qué mierda hacés cagado de calor en el patio. Vení a la oficina.

—No voy. No va nadie. Vos no me das más órdenes, Ignacio. Sos un traidor.

Ignacio supo que no bromeaba. Lo miró fijamente un rato, luego le dio la espalda y salió. En el zaguán se paró frente al preso.

—¿Cómo te llamás vos?

—Juan Ugarte, señor.

—Te vas al municipio y me esperás allá.

—Sí, don Ignacio.

El delegado tomó la bicicleta y salió. El preso corrió calle arriba. Era mediodía. Por los parlantes una voz gritaba tan fuerte que sólo se oía un chillido confuso.

—¡Compañeros! ¡Compañeros!

Ignacio reconoció la voz de Reinaldo.

—¡Compañeros! ¡Los comunistas de Colonia Vela traban nuestros justos pedidos de fondos para la guardia de primeros auxilios! ¡Demoran el permiso para construir el monumento a la madre! ¡Impiden la instalación de las cloacas! ¡Compañeros! ¡Echemos a los traidores Ignacio Fuentes y Mateo Guastavino! ¡Con la CGT de los trabajadores y la policía del pueblo desbarataremos la maniobra sinárquica contra Colonia Vela! ¡Compañeros! ¡De pie en apoyo del secretario general del justicialismo, compañero Suprino! ¡Hagamos tronar el escarmiento contra la oligarquía marxista!

Ignacio frenó la bicicleta con el taco del zapato y la dejó contra el frente del almacén. Era un viejo caserón que había sido de su padre, como también el negocio que ahora atendía su mujer.

Felisa envolvió los cien gramos de jamón, los entregó a una chica de largas trenzas y se limpió las manos en el delantal.

—Ya cierro, Ignacio. La comida está casi lista.

—¿No escuchás los parlantes?

—No les presté atención.

—Hay revolución, vieja. ¡Me hacen una revolución! ¡Como a Perón!

—¿Qué decís?

—Cerrá el negocio; ¡rápido!

Felisa cerró las dos hojas de la puerta de madera y dio un par de vueltas a la llave.

—Escuchame, Felisa: yo voy a salir. No abras a nadie. A nadie, ¿me entendés?

—¡Ignacio! ¡Qué hiciste, Ignacio!

25

El delegado fue hasta el dormitorio y sacó de la cómoda un viejo Smith and Wesson. Buscó entre las sábanas cuidadosamente plegadas y juntó todas las balas. Quince en total.

—Traeme la escopeta.

—No, Ignacio. ¿Qué vas a hacer? ¡Te van a matar!

—¡Qué mierda me van a matar, si son unos cagones!

—¡Voy a llamar a Rubén!

—Es contra ese hijo de puta que voy a pelear.

Ignacio se puso el revólver a la cintura y se echó la escopeta al hombro. Besó a su mujer en una mejilla y antes de salir le dijo:

—Dios me hubiera dado un hijo para verlo pelear al lado de su padre.

La calle estaba desierta. Desde el centro, a seis cuadras, llegaba el griterío del parlante. Ignacio buscó con la mirada a su alrededor.

—Mierda, me robaron la bicicleta.

Sobre la pared donde estuvo apoyada, alguien había escrito con carbón:

Fuentes traidor
al pueblo peronista

—¡Hijos de puta! ¡A tiros voy a llegar al municipio!

Sin embargo nadie parecía oponerse.

Ignacio vio a doña Sara, la vecina de enfrente, que

26

lo observaba a través de la ventana. Desde un zaguán, sin dejarse ver, alguien gritó:

—¡Arriba Fuentes viejo!

El calor era insoportable. Ignacio caminó hacia la esquina. A los 51 años había perdido demasiado pelo como para andar sin gorra bajo el sol. Sintió la transpiración en el cuello; la camisa se le pegaba en las axilas y bajo la correa de la escopeta.

—¡Ignacio! —el grito lo detuvo. Se dio, vuelta y vio a su mujer que corría hacia él. Llevaba un cinturón con cartuchos.

—Te los olvidaste.

La miró con una leve sonrisa.

—¿No me trajiste la gorra?

—No, los cartuchos. Te la voy a buscar.

—No. No salgas de casa. Andá.

Tomó la calle principal y avanzó dos cuadras a pasos lentos. El pueblo parecía desierto. Al llegar a la calle de la municipalidad se detuvo y miró antes de doblar. Frente a la entrada montaban guardia dos policías.

—¡Milicos! —gritó Ignacio.

Hubo un silencio.

—¡Milicos!

Los agentes miraron las puertas de los zaguanes vecinos. Estaban armados con viejas ametralladoras.

—¡Acá, boludos, en la esquina!

Los policías se dieron vuelta Ignacio gritó:

—¿Dónde está el comisario?

—¡El comisario Llanos se fue a almorzar! —gritó un agente.

Los parlantes habían dejado de emitir las proclamas. Era la una de la tarde y todo el pueblo se disponía a la siesta. Ignacio avanzó hacia la municipalidad. Un agente le salió al paso.

—No puede entrar, señor.

—Orden de quién.

—Del comisario Llanos, señor.

—Y vos, ¿cómo te llamás?

—García, señor.

—¿Y vos? —se dirigió al otro agente.

—Comini, señor. No puede entrar.

—¿Dónde andan los otros?

—Acuartelados, señor.

—Ajá. ¿Quién los manda?

—El comisario, señor.

—¿Y si no está el comisario?

—El oficial Rossi.

—¿Y si no está?

Los agentes se miraron.

—¡Acá mando yo, carajo! ¡Firmes, carajo! —gritó Ignacio.

Se cuadraron.

—A vos, García, te nombro cabo y te aumento el sueldo. ¿Cuánto ganás?

—Ciento cuatro mil con el descuento y el salario familiar, don Ignacio.

—Te vas a ciento cincuenta.

28

—Gracias, señor.

—¡Cabo García!

—Ordene, señor.

—Mande al agente Comini a buscar al placero.

—Sí, señor. ¡Agente Comini!

—Sí, mi cabo.

—¡Corra a buscar al placero Moyano! ¡Rápido!

Comini cruzó hacia la plaza.

—Cabo García.

—Señor.

—Venga que le firmo el ascenso.

—Sí, señor. Gracias, señor.

Entraron a la municipalidad. Ignacio cerró la puerta de acceso. En la oficina Mateo estaba solo, encorvado en una silla. Su cara se había vuelto pálida. Al ver al delegado se puso bruscamente de pie.

—¡Don Ignacio! ¡Nos quieren echar, don Ignacio!

—Tomá la escopeta. Vamos a resistir.

—¿Qué pasa, don Ignacio?

—Dicen que somos bolches.

—¿Bolches? ¿Cómo bolches? Pero si yo siempre fui peronista…, nunca me metí en política.

—Eso dicen. Prepará una ordenanza nombrando cabo al agente García.

Mateo se sentó frente a la Olivetti y empezó a escribir.

—Cabo García —dijo Ignacio—, vamos a defender el municipio. Monte guardia frente a aquella ventana.

—Sí, señor.

Mateo sacó el papel de la máquina.

—¿Quiere firmar, don Ignacio?

Ignacio firmó. El cabo García miró el papel y sacó pecho.

—¡Qué va a decir mi negra! —los grandes bigotes casi le tocaron las orejas. Entraron Comini y el placero.

—¿Cuánto ganás, Moyanito?

—Ochenta y tres mil, más o menos.

—Te nombro director de parques y jardines y te aumento a ciento veinte mil.

—Gracias, don Ignacio, no sabe la falta que me…

—Cabo García, dele su pistola.

—¿Para qué, don Ignacio? —preguntó Moyano.

—Para que defiendas al pueblo.

El placero no entendió demasiado. Tomó la Ballester Molina y la miró de cerca. Estaba a punto de jubilarse y sus manos temblaban un poco.

—¡Agente García!

El vozarrón venía de la calle.

—¡El comisario! —García miró a Ignacio—. Si me ve, voy al calabozo.

—¡Agente Comini!

—Me llama el comisario.

—Usted se queda, dijo el delegado.

—Para ser vigilante me voy con él.

El comisario se había parado en el medio de la calle. Tras él estaban el oficial Rossi, el martillero Guzmán, Suprino, Reinaldo y media docena de muchachos. Ignacio se asomó por la ventana.

—¡Salí, García, te ordeno!

—Me vio, don Ignacio. Cagué.

—No te vio nada. No salgás. ¡García!

—Yo me las tomo.

—¡Pará, che! ¿Quién te nombró cabo?

—Usted, don Ignacio, pero si no salgo nos van a meter presos a todos.

—No seas pavo. Si salís te va a cagar por dejarme entrar al municipio.

—¡Comini! ¡Salí, macho! —gritó el comisario.

—Vos te quedás acá —ordenó García con voz grave.

—Estás loco.

—Te quedás, te digo.

—Nos va a dar una calaboceada, che.

—Mi cabo, decí.

—Se queda acá —Ignacio apuntó el revólver al pecho del agente—. Encerralo en el baño —ordenó a García.

—Dame las armas, vos.

Comini tiró la metralleta y la pistola al suelo. El cabo lo empujó hasta el baño y cerró la puerta con llave.

—A la orden, don Ignacio.

—Preparate para defender al gobierno.

—Acá no entra nadie, señor delegado. Moyano, trabá la puerta del fondo.

31

—Yo no quiero que me maten.

—Te voy a matar yo si no me obedecés.

Moyano lo miró y tuvo la sensación de que hablaba en serio. Corrió a cumplir la orden.

El comisario se había parado en la vereda opuesta. Gesticulaba. Rossi se cuadró ante él y salió a toda carrera. Suprino daba órdenes a varios civiles jóvenes que estaban armados con pistolas ametralladora y escopetas de caño recortado.

En el pavimento reverberaban el calor y la luz del sol. Rossi llegó con la camioneta de la policía y la cruzó en la esquina para bloquear el paso. Empezaban a acercarse los curiosos. El parlante volvió a funcionar:

—¡Ciudadanos! ¡Los hombres de Colonia Vela estamos librando una batalla por la libertad! ¡Fuentes, ladrón comunista con la camiseta peronista, debe irse! ¡Saquémoslo de su guarida! ¡Viva la patria! ¡Viva Colonia Vela! ¡Viva Perón!

—Qué carajo les pasa —dijo Ignacio en voz baja—. Mateo, llamá a Tandil, al intendente.

—¿Va a hablar con el intendente?

—Directamente. Si no está, lo llamás a la casa. Apurate antes de que corten el teléfono.

Mateo agitó la horquilla. La telefonista pidió el número.

—Dame con el intendente, Clarita, rápido.

—García, cerrá los postigos que nos van a tirar cartuchos de gas.

32

—No, si no tenemos gases en el cuartel, don Ignacio.

—Cerrá igual. ¿Qué hace el comisario?

—Barricadas. El viejo choto está amontonando porquerías en la calle. Le está sacando los cajones de verdura al rengo Durán.

Juan Ugarte entró a la oficina por la puerta del fondo. Detrás iba Moyano.

—¡La vida por Perón! —gritó Juan.

—¿Donde te habías metido? —preguntó Ignacio.

—Estaba mirando desde el techo. Francotirador, que le dicen.

—¡Un francotirador! —dijo Ignacio—. ¡Claro, eso es! Agarrá la pistola y te vas arriba. No tirés si no te ordeno.

—Allá voy.

—Che.

—¿Señor?

—¿Por qué estabas preso vos?

—Por borracho, señor, para serle sincero. Trabajo en el horno de ladrillos y de vez en cuando me tomo una copa en el boliche del viejo Bustos. Cada vez que me agarra un milico me hace limpiar los calabozos y todo el cuartel. La comida que dan es mala, acá el agente le puede decir…

—Cabo —dijo García—, ahora soy cabo.

—¡Qué te parió que subiste! Bueno, ahora me voy. ¡La vida por Perón!

—¡La comunicación, don Ignacio! —gritó Mateo.
El delegado corrió al teléfono.

—¡Hola! ¡Señor Guglielmini!

—Estaba durmiendo la siesta, Fuentes.

—Es que hay problemas, señor intendente. Se me sublevaron el comisario y el secretario del partido. Dice que vino a normalizar…

—¿Y qué va a hacer? —interrumpió el intendente.

—Cómo qué voy a hacer. Eso le digo a usted. Estoy atrincherado en la municipalidad y necesito la policía de Tandil.

—Mire, Fuentes, las cosas de Colonia Vela arréglenlas allá. Mañana me pasa un informe.

—Usted es el intendente.

—Pero el cuestionado es usted.

—¿Quién me cuestiona?

—El consejo superior del partido. Dicen que Mateo es comunista y que usted lo protege. Que son todos de la Tendencia, como los muchachos.

—¿Qué muchachos?

—Esos que le arreglaron los bancos de la escuela y le limpiaron la sala de primeros auxilios. Usted los conoce bien. Andan por su despacho como Pedro por su casa…

—Son buenos muchachos, serviciales y peronistas.

—¡Mierda, peronistas! —Guglielmini cortó bruscamente la comunicación.

Juan entró apurado. Tenía la camisa desabotonada y el sudor le pegoteaba el pelo del pecho.

—¡Don Ignacio, le allanaron la casa!

—¿Mi casa?

—Sí. Se llevaron presa a su señora. El parlante dice que había propaganda comunista y armas.

—¿Eso dice?

—Sí. Libros del Che Guevara y armas.

—El matagatos..., me olvidé del matagatos... ¿Y qué tiene que ver Felisa en todo esto?

—Se la llevaron de la mala manera, don Ignacio, discúlpeme la noticia.

Ignacio se rascó la cabeza, se mordió el bigote y dijo en voz baja:

—Se terminó la joda, ya me llenaron las pelotas. Juan, andá a buscar a la cuadrilla del corralón. Le contás al capataz y les decís a los muchachos que se vengan con vos. No, mejor te doy una orden escrita. Hacela, Mateo.

—¿Y qué hago? —dijo Juan—. Son ocho o diez viejos chotos.

—Te armás una tropa. Hay picos, palas, cuchillos. Llevatelos a la plaza.

García miraba a la calle por una rendija de la ventana.

—Le desparramaron toda la fruta al rengo. Se me hace que nos van a atacar.

—Los cagamos a tiros antes —dijo Ignacio.

Juan salió por la puerta del fondo. Mateo dijo:

—Yo puedo renunciar, don Ignacio. Así se arregla todo.

—Vos no renunciás —dijo el cabo García—. Ahora das la vida por Perón.

—La vida por Perón —repitió Ignacio en voz baja—. ¿Qué estará haciendo Perón ahora?

—Hay mucha gente mirándonos —sonrió García—. Todos los que nos votaron están ahí ahora.

El delegado fue hasta la ventana y buscó un resquicio por donde mirar.

—¡Ignacio Fuentes! —gritó desde la calle el comisario, ahuecando las manos—. ¡Ríndanse a la ley! ¡El tribunal del partido los va a juzgar! ¡Ríndanse!

Ignacio abrió un postigo y rompió el vidrio con la escopeta.

—¡Rendite vos, desacatado!

—¡Usted sublevó al personal policial! ¡Entregue a los agentes García y Comini!

—¡Vení a buscarlos, gordo hijo de puta!

—¡El pueblo es testigo! ¡Sos un comunista cabrón!

Ignacio hizo fuego. La perdigonada dio en los cajones de fruta y volteó la barricada. Los curiosos se desbandaron. El comisario se tiró cuerpo a tierra.

—¡Iiiija, mierda! —gritó García. El placero se tapó las orejas. Ignacio cargó los dos caños de su escopeta. Mateo empezó a temblar. Sonó el teléfono.

—Hola —atendió Mateo.

—¿Compañero Mateo? Deme con don Ignacio.

El empleado pasó el teléfono al delegado.

—Compañero Fuentes, le habla Morán, de la juventud peronista, para hacerle llegar nuestra solidaridad.

—Vengan a pelear conmigo.

—Estamos en asamblea permanente. Si la asamblea lo decide, allá estaremos.

—Bueno, vayan a la plaza y se unen a la cuadrilla municipal. Traten de tomar el parlante.

Ignacio cortó. Una descarga de ametralladora golpeó en el frente del edificio. Una bala entró por la ventana y destrozó el termo que estaba sobre la mesa.

—¡Al suelo! —gritó el cabo.

—¡Sueltenmé! —chilló Comini desde el baño.

Ignacio se arrastró hasta la otra ventana y entornó el postigo. El comisario corría hacia la camioneta cuando resbaló y rodó por el pavimento. Desde el techo de enfrente, tres jóvenes volvieron a tirar. Ignacio y el cabo se agacharon. El placero disparó su pistola. La bala entró en el capó de la camioneta policial cuando ésta se ponía en marcha. El vehículo dio un brinco y se detuvo en el medio de la calle. Entonces se vio el choque y se oyó el estallido.

—¡Los muchachos del corralón! —gritó Ignacio, eufórico.

El desvencijado Chevrolet de la cuadrilla giró en la esquina quemando las gomas contra el pavimento. El que manejaba parecía haber perdido el control. La trompa del camión apuntó hacia la vereda primero y luego, bruscamente, se incrustó contra la camioneta.

El techo del coche policial se abrió con un ruido agudo y sus ruedas se despegaron del suelo. Se arrastró tres metros, vaciló, y mientras caía de costado le estalló el tanque de nafta. El fuego empezó a cubrirlo. Adentro, el oficial Rossi alcanzó a ver el cielo por la puerta que se abrió sobre su cabeza. Saltó y corrió con el uniforme encendido. El cabo García le tiró; la bala pasó a medio metro de su cabeza. Rossi gimió y se dejó caer sobre el pavimento. El fuego le llegaba a las solapas. Ocho hombres con picos y palas cruzaron desde la plaza hacia el Chevrolet que también empezaba a incendiarse. Una ráfaga que partía desde un techo los obligó a retroceder hasta los primeros árboles. Uno renqueaba. El oficial Rossi avanzó con esfuerzo hacia la vereda dominada por la policía; trataba de quitarse la chaqueta incendiada. Desde un zaguán, un vigilante le tiró un balde con agua. El fondo del recipiente golpeó contra la cabeza del oficial y se vació sobre el pavimento. Atontado, Rossi se arrastró desesperadamente y apoyó la espalda en el agua. A golpes de gorra trataba de apagarse las botamangas de los pantalones.

—Esto se pone feo —dijo el comisario. Tenía un codo lastimado y la manga de la chaqueta desgarrada por el revolcón.

—Ahora estamos en el baile, Rubén. Hay que sacarlos antes de que vengan los periodistas de Tandil.

—Suprino dijo que el intendente y el consejo superior se hacían responsables.

—Sí, pero no de este quilombo. Si los sacamos es asunto terminado, pero si no, vamos a tener baile.

—Metámosle bala.

—Esperá. Dejá que tiren los pibes, que después desaparecen. Vos tenés que estar limpio. Suprino dijo que vas a ser jefe en Tandil.

—Allá debe haber comunistas a patadas.

—Lleno. En la facultad, en la metalúrgica. Vas a tener para divertirte.

—Che, Guzmán —dijo el comisario por lo bajo, con una sonrisa de complicidad.

—¿Qué?

—¿Te acordás cuando eras gorila?

—Vamos, nunca fui gorila. No era peronista y ahora sí, porque Perón se hizo democrático. Esa es la verdad.

Suprino y Reinaldo llegaron en un Torino que se detuvo lejos del fuego. Se acercaron a Llanos y Guzmán.

—¿Qué pasa? —preguntó Suprino.

—Ignacio se retobó —dijo el comisario.

Suprino miró la hoguera que crecía sobre los vehículos y escupió con fuerza.

—Bueno, la cagada la hizo él. Hablé con el intendente y me dijo que manda diez civiles más. Arriba quieren que el trabajo se haga rápido y limpito. Los pibes terminan esta noche y a la mañana se van a Mar del Plata. Eso sí, tenemos que mostrar algunos policías lastimados. Para los periodistas.

—¿Y cómo?

—Mandalos a atacar el edificio. Los van a balear.

—Mandarlos al muere, decís.

—No es para tanto. Con algún herido estamos hechos. Les voy a dar la orden de parte tuya.

En la esquina aparecieron Morán y otros dos muchachos que apenas llegaban a los veinte años.

—¡Comisario Llanos!

—¿Qué quieren? Circulen o la van a ligar ustedes también.

—La asamblea de la juventud peronista sacó un comunicado.

—Ajá. ¿Y qué dice?

—Si quiere se lo leo.

—No hace falta. Dejáselo a Rossi y preséntense detenidos.

—Detenidos las pelotas.

—¡Comunistas de mierda! ¡Oficial Rossi!

—¡Rajemos! —gritó Morán.

Los tres muchachos corrieron hacia la plaza.

—Ordene, mi comisario —dijo Rossi. Tenía el uniforme roto y chamuscado. Arrastraba la pierna derecha.

—Preparate para atacar.

—Estoy herido, mi comisario.

—¿Herido?

—Me prendí fuego.

—¿Cómo carajo te prendiste fuego?

—Estaba en la camioneta cuando se empezó a incendiar.

—Te quisiste rajar, seguro.

—No, mi comisario. Vigilaba la retaguardia.

—Bueno. Vas a atacar igual.

—Me tengo que curar, mi comisario. Con un poco de pancután estoy hecho.

—Te quedás así. Calavera no chilla.

—Me duele.

—Te aguantás.

—¡Pero si me quemé hasta las verijas! —hizo una pausa—. Y tengo otro herido más.

—¿Otro?

—Antonio. Lo cagaron de una pedrada cuando pasaba en bicicleta frente a la plaza. Se cayó y se peló una rodilla.

—Ajá. Se quedan así, aguantando machos hasta que lleguen los periodistas de Tandil. Preparate para el ataque. ¿Cuántos son?

—Yo y tres.

—Bueno. Se van a arrastrar frente al municipio y van a tirar un cartucho de gas.

—Si no tenemos gas.

—Se lo pedís al civil, al rubio de camisa amarilla o a cualquiera de los que llevan brazalete. Ellos van a ir atrás de ustedes para cuidarles la espalda.

—¿Para qué nos van a cuidar la espalda si el enemigo está adelante?

—Me parece, che, que vos estás cagado,

—Es que nos van a reventar a tiros. Don Ignacio está enojado hoy.

41

—¿Qué son, maricas?

—No, mi comisario.

—Cumplí la orden, entonces.

El comisario se quitó la gorra grasienta y se secó el sudor con el pañuelo. Miró irse al oficial Rossi que arrastraba una pierna como si se le hubiera secado. No estaba seguro de haber hecho lo mejor. Vio a Suprino junto a la camioneta que seguía ardiendo. Lo llamó de un grito. El secretario del partido se acercó. Se había puesto un pañuelo en la cara, como un cowboy, y sostenía una escopeta de caño recortado.

—Mandé a Rossi al asalto —dijo el comisario—, ¿qué te parece?

—Está bien, porque los pibes de Tandil están medio cabreros. En el sindicato les dijeron que venían por una huelga, no para esto.

—Mandá a algunos con Rossi y a otros por el techo, que entren por atrás.

—No sé si van a querer. Son unos pendejos prepotentes.

—Repartiles unos caramelos, por ahí se ablandan.

Suprino lo miró. Tenía el pañuelo mojado por el sudor.

—¿Todavía tenés ganas de hacer chistes?

—¿Y vos? ¿Para qué mierda te pusiste el pañuelo ése? Parecés un payaso.

—Me lo dio mi mujer.

—Entonces cuidalo, se te está ensuciando.

Suprino se alejó. El comisario cruzó la calle. Guzmán estaba uniendo dos cables largos.

—A ver si hacés andar un rato el parlante. Hay que darle ánimo a la gente.

—Me habían cortado los cables —dijo Guzmán.

Desde la esquina llegó una andanada de cascotes. Uno pegó en la espalda de Guzmán. El martillero se dobló y cayó de costado. Con una mano trataba de encontrar la herida. El comisario se arrojó dentro de un zaguán.

En la esquina, cuatro muchachos huían hacia la plaza. Un civil tiró al bulto. La gente que estaba amontonada a una cuadra de distancia desapareció dentro de las casas.

—Rossi! ¡Cuándo vas a atacar, carajo! —gritó Llanos.

—¡Ya, mi comisario! —contestó el oficial—. ¡Ya vamos!

Llanos miró a su alrededor. La camioneta y el camión seguían ardiendo y el calor descascaraba los frentes de dos edificios que tenían los vidrios destrozados. Guzmán estaba sentado en el porche de un chalet. Se frotaba la espalda contra la pared. Detrás del Chevrolet, policías y civiles recibían órdenes de Suprino y Rossi.

"Bueno —se dijo el comisario—, ahora van a salir como ratas."

En la oficina de la delegación, Ignacio chupaba lentamente un mate. El cabo García vigilaba una ventana y el placero Moyano la otra.

—Los muchachos se portaron —dijo Moyano—. Los tenemos cagando aceite.

—Me parece que se van a venir —dijo García—. Hay mucha conciliación.

—Confabulación —corrigió Ignacio.

—Eso. De noche la vamos a pasar mal. Si los muchachos de la plaza tuvieran armas, los podrían rodear.

Juan entró apurado por la puerta del fondo.

—Cuidado, don Ignacio —dijo—, vienen para acá. Se arrastran como culebras.

Ignacio puso el mate sobre el escritorio.

—Dejame ver.

El delegado apartó a García y se agachó junto a la ventana.

—Sí, se vienen cuerpo a tierra.

García retomó su puesto.

—Se traen a los civiles. Reinaldo se subió al techo de enfrente; está enmascarado el loco.

Rossi y los tres vigilantes habían salido arrastrándose por detrás de los vehículos incendiados. Después aparecieron los civiles. Eran seis y llevaban armas largas. Avanzaban con, dificultad, levantando las cabezas del pavimento.

—Se van a quemar las bolas —dijo García—, la calle está echando fuego.

Una cerrada descarga partió desde afuera. El comisario apostado en un zaguán, Guzmán y el vigilante lastimado desde el chalet y Suprino desde el techo, tiraban contra las ventanas del edificio. Los postigos y los vidrios se hicieron pedazos. Moyano cayó hacia atrás. Todos, adentro, se arrojaron al piso.

—¡Mierda! —gritó García—. ¡Cómo nos dieron!

El suelo estaba manchado de sangre. Moyano no se movía. Juan se arrastró hasta el placero y le miró los ojos.

—Pobre Moyanito —dijo.

García se puso de pie y se apretó contra la pared. Asomó el caño de la ametralladora por la ventana destrozada y disparó contra los que cruzaban la calle. Uno de los policías se levantó y salió corriendo. Los demás se frenaron y tiraron contra el municipio. Las balas picaron la pared de la oficina. El retrato de Perón se movió y luego cayó al suelo.

—Estamos listos —dijo García—. Mejor rendirse, don Ignacio.

—¡No! —gritó Juan—. ¡Si todavía nos queda la aviación!

—No jodás ahora —rezongó el delegado.

—No, don Ignacio, le digo en serio. Tenemos el avión. Si lo encuentro a Cerviño les podemos dar guerra.

—No estamos para jodas, che.

—Nada de joda, don Ignacio. Aguanten todo lo que puedan mientras yo lo busco a Cerviño.

Salió por la puerta de atrás. Desde un techo, alguien le disparó. Juan corrió a través del patio y saltó la pared del fondo. Afuera, vigilantes y civiles seguían arrastrándose hacia la vereda del municipio. Dos autos aparecieron en la esquina.

—¡Los periodistas! —dijo Suprino.

—¡El intendente! —gritó el comisario.

El primer coche, un Peugeot, se acercó a gran velocidad. El que manejaba no vio a los hombres que estaban echados sobre la calle y pisó a uno. El muchacho de camisa amarilla gritó y quedó bajo el auto cuando éste frenó. Los demás se pararon y corrieron hacia el conductor.

—¿Por qué no mirás por dónde vas, boludo? —gritó Rossi.

—¿A quién le decís? —preguntó el gordo que manejaba, mientras abría la puerta y saltaba a la calle—. ¿A quién le dijiste boludo?

—A vos —dijo Rossi y tiró un derechazo que pegó en el amplio pecho del gordo. El hombre retrocedió y sacó una cachiporra de goma; después se fue encima del policía y lo golpeó en la cabeza. Cuando el oficial se dobló, el gordo le dio un rodillazo en la barriga. Rossi aspiró y cayó con la boca abierta. Del Peugeot bajaron cinco hombres jóvenes. Del segundo auto, un Falcon, salieron otros seis civiles. Llevaban armas largas. Del baúl del Falcon sacaron lanzagases y cartuchos. El último en salir del Peugeot fue el intendente.

—¡Dónde está el comisario! —gritó.

En la oficina, Ignacio se acercó a la ventana y miró.

—Vino Guglielmini. Trajo más civiles.

—Por ahí nos defienden —dijo García.

—Están del otro lado —contestó Ignacio—. Tapen las ventanas con cartones mientras yo le mando un mensaje al intendente. Escribí, Mateo.

El empleado corrió a la Olivetti y revolvió en un cajón hasta encontrar papel.

—Poné: "Señor intendente, lo hago responsable de lo que está pasando en Colonia Vela. Esos traidores mataron al placero Moyano, y si quieren guerra la van a tener. Perón o muerte".

—¿Quién lo va a llevar? —preguntó Mateo con voz temblorosa.

—Comini. Largalo.

Mateo pidió la llave al cabo García y, abrió la puerta del baño. Como no oyó ruido, se asomó.

—Perdone —dijo.

—Cerró la puerta y miró a Ignacio. Se había puesto colorado.

—Ya sale —agregó.

Un minuto más tarde, Comini salió abrochándose los pantalones. García le dijo:

—Estás suelto. Le vas a llevar un mensaje al intendente. Levantá un pañuelo blanco cuando salgás.

—¿Cuál es el intendente?

—El viejo alto, de traje azul —lo señaló por la ventana. Mateo le entregó el papel. Comini abrió lentamente la puerta, agitó el pañuelo y salió. Todas las armas le apuntaron.

—¡Traigo un mensaje para el intendente! —gritó y se acercó con los brazos levantados.

Guglielmini leyó el papel.

—¡Un muerto! ¡Qué cagada hiciste, Llanos!

—Ellos tiraron primero. Tengo varios heridos.

El intendente sacó una libreta y una lapicera. Se apoyó en el techo del Peugeot y escribió: "Señor delegado. Está acusado de infiltrado y subversivo. Presente su renuncia y lo llevaremos ante el Tribunal del Partido. Perón o muerte". Lo entregó a Comini. El vigilante cruzó la calle hasta la municipalidad. Golpeó la puerta. El cabo García le abrió. Comini entregó el papel y se quedó parado frente a la puerta. Ignacio leyó el mensaje.

—Hijo de puta. Nos va a tener que sacar muertos. Mateo, escribí.

El empleado fue a la máquina.

—Poné: "Váyase a la reputa que lo parió. Perón o muerte". Dáselo a Comini y trancá la puerta.

Cuando el intendente recibió el mensaje estaba reunido con Suprino, Llanos, Guzmán y Reinaldo en la puerta de la CGT.

—¿Qué dice? —preguntó Guzmán.

48

—Me putea.

—Yo creo que usted tiene que nombrar un nuevo delegado —dijo Suprino.

—Todavía no puedo. Ustedes trabajaron mal. Si Llanos lo hubiera metido preso a Fuentes, vos quedabas de interino. Ahora el asunto es grave. Los diarios le van a dar manija al muerto.

—¿Qué hacemos, entonces?

—Voy a mandar a algún muchacho del comando a que ponga armas y propaganda de los Montoneros en la casa del Moyano ese. Vos, Llanos, decí por el parlante que Fuentes entregaba armas a los guerrilleros. Decíselo también a los periodistas. Poné una bomba en la puerta de la CGT y después meté presos a dos o tres pibes de la juventud. Hay que armar el paquete. Rápido. Vos, Suprino, hacé que dos civiles me baleen el auto. Los muchachos del comando se van a encargar de Fuentes y los otros. Vamos.

Salieron. El intendente dio órdenes a los civiles. Cuando se acercaban al cuartel de policía escucharon la detonación de la bomba.

—Me va a tener que dar una subvención para arreglar el edificio —dijo Reinaldo con una sonrisa.

—¿Qué piensa la gente de Ignacio? —preguntó Guglielmini.

—Y... no sé. Lo de comunista no se lo van a tragar —dijo Suprino.

—Esta noche llená el pueblo de panfletos diciendo

que es puto, que se dedicaba a las orgías en Tandil y
poné también que era cornudo.

—¡Carajo! —gritó el comisario—. ¡Miren eso!

En el frente del edificio de la policía, alguien había
escrito con carbón:

A Suprino y a Llanos
con el pueblo los colgamos

—Pendejos de mierda. Hoy nos cagaron a pedra-
das —dijo Llanos.

—Se creen muy vivos los hijos de puta —dijo Suprino—. Eso pasa por darles demasiada piola.

Llegaron al frente del edificio de la comuna. Un Torino con cuatro personas esperaba en la esquina. Suprino caminó hasta el auto.

—Qué me dice, señor Luzuriaga.

—Que esto es demasiado.

—Ustedes lo aprobaron, ¿no?

—Aprobamos la destitución de Fuentes, pero esto no
lo podemos apoyar delante de la prensa si no sale bien.

—Hable con el intendente.

—No tenemos nada que hablar con él. Ya charla-
mos todo con usted en su momento. Si mañana las
cosas no están en orden, la Sociedad Rural se lava las
manos.

—Va a estar todo bien.

—¿Qué fue esa explosión? —preguntó Luzuriaga.

—Los de la juventud pusieron una bomba en la CGT.

—¿Los agarraron?

—Están en eso, no se preocupe.

El Torino se alejó. Suprino volvió junto al comisario y el intendente. Llanos miró su reloj. Eran las siete de la tarde. Se sentía cansado. Pensó que las cosas habían ido demasiado lejos. Advirtió que la gente lo miraba desde los postigos de las ventanas. Cuando todo terminara lo trasladarían a Tandil. Siempre había querido vivir allí. Frente a la municipalidad sitiada había unas treinta personas. Pensó que Fuentes tendría que salir, no podía ser tan cabeza dura.

—Si sigue ahí se le va a pudrir el cadáver del placero —se dijo a sí mismo.

Se detuvieron frente al Peugeot de Guglielmini. Tenía las puertas agujereadas por cinco balazos.

—Todo va a andar mejor ahora —dijo el intendente—. Voy a constituir mi despacho en el banco de la provincia.

—Véngase a la comisaría.

—No, no es el momento. Téngame informado. ¿Vio como me agujerearon el auto?

—Señor Guglielmini.

—Qué.

—No me va a dejar en banda, ¿no?

—¿Qué quiere decir?

—No, nada —Llanos hizo una pausa—. Digo si me va a apoyar hasta el final.

—Por favor.

—Digo. No lo tome a mal. A mí me puso acá Fuentes. Nunca me gustó la política. Nada más que quisiera irme a Tandil con el ascenso. Mi mujer quiere que los chicos hagan la universidad allá.

—Claro.

—¡Comisario!

El oficial Rossi llegó corriendo. Tenía un parche sobre la cabeza.

—¡Viene un avión, comisario!

—¿Un avión?

—Allá —Rossi señaló hacia el oeste. Lejos, se escuchaba el ruido de un motor. Todos miraron. El viejo aparato parecía más pequeño contra el sol.

El motor tartamudeaba. Se acercó y pasó a cien metros de altura.

—Cerviño —dijo Reinaldo.

—¿Quién? —preguntó el intendente.

—El fumigador. Echa remedio en el campo. Siempre borracho.

Cerviño bajó la potencia del motor y dejó que Torito planeara hacia el campo. Luego giró hasta ver otra vez el pueblo.

—Hacé una pasada bajita y los regamos —dijo Juan—. Nos vamos a divertir.

52

La hélice gruñó pidiendo grasa. El escape soplaba fuego. Cerviño metió el avión sobre la calle principal y lo bajó a cincuenta metros.

—Bajá más.

Planeó a veinte metros, sobre los autos y la gente que estaba frente al municipio.

—¡Ahora!

Juan bajó la palanca del depósito. Una lluvia fina, gris, cayó sobre los hombres que miraban el avión.

—¡Viva Perón, mierda! —gritó Cerviño.

El intendente tropezó con el cuerpo de un muchacho de anteojos negros y se fue al suelo. El asfalto le quemó las manos. Sintió que sobre su cabeza caía un rocío fresco y suave. Empezó a estornudar. Rossi se zambulló en un zaguán y su cabeza golpeó contra la ametralladora de un gordo que tenía una gorra a cuadros. Su herida empezó a sangrar otra vez. El martillero Guzmán se metió bajo el Peugeot. Dos civiles subieron al auto que arrancó a toda marcha. Guzmán sintió el peso del coche sobre su mano derecha y un dolor punzante le recorrió todo el brazo. Cuando vio la sangre que salía de los dedos reventados tuvo un mareo y se desmayó. El avión volvió a pasar. El comisario se había refugiado bajo un árbol de la plaza. Apuntó hacia el aparato y apretó el gatillo. En ese momento su vista se nubló, oyó un sonido metálico que se demoraba dentro de su cabeza y cayó de rodillas. Luego su nariz se hundió en el césped. Dos hombres de la cuadrilla municipal lo tomaron de los brazos y lo arrastraron entre los árboles.

Ignacio asomó la cabeza por la ventana y sorprendió a un vigilante que escapaba ciego por la vereda del municipio. Le pegó con el caño de la escopeta y lo vio caer. Los ojos le lloraban y el DDT flotaba aún en el aire. Los que seguían en el suelo, desparramados a lo largo de la calle, estornudaban sin parar.

El cabo García volvió a cubrir las ventanas con cartones.

—Les estamos dando con todo, don Ignacio. Cerviño es un campeón.

El delegado se tiró en el sillón de las visitas y miró el cuerpo de Moyano, tapado con diarios.

—¿Y ahora? —dijo.

—¿Ahora qué? —respondió García.

—Eso digo. ¿Qué va a decir Perón?

—Va a estar orgulloso —dijo el cabo—. Por ahí me nombra comisario.

Cuando el avión pasó por primera vez, Guglielmini se había protegido bajo los restos de la camioneta y el camión carbonizados. Se arrastró bajo los chasis y su traje se puso negro. Tenía también la cara y las manos sucias de hollín. Levantó los ojos y vio, bajo los restos del Chevrolet, a dos muchachos que habían llegado con él. Avanzó hacia donde estaban. Uno, morocho, de ojos pequeños, tenía en las manos una es-

54

copeta enorme. El otro, de pelo castaño y nariz filosa, se pasaba el pañuelo por la cara, pero sólo conseguía ensuciarla más.

—¿Adónde nos trajo? —preguntó el morocho—. Este no es un trabajo serio.

Al acercarse, Guglielmini sintió que la botamanga de su pantalón se desgarraba, enganchada por el caño de escape del camión.

—Está bravo —dijo el intendente—; vamos a tener que esperar la noche para atacar.

—Si no nos envenenan antes —gruñó el que se frotaba con el pañuelo.

—Le puedo tirar cuando pase de nuevo. Se va a hacer pomada —propuso el de la escopeta.

El rugido del motor se alejó hasta desaparecer.

—Debe haber ido a cargar más DDT —murmuró el intendente.

—No le queda mucha luz. Cuando venga la noche está listo —dijo el morocho.

Se arrastraron hasta salir de entre los escombros. Guglielmini tosió y escupió. La calle estaba desierta. El cielo era rojizo y el sol había bajado. El calor parecía haberse comprimido en este lugar como en un horno.

Caminaron hacia la esquina de la plaza. Al intendente le sangraba el tobillo bajo el pantalón desgarrado. El morocho se echó la escopeta al hombro, sacó los anteojos negros y al ver que estaban rotos los tiró. Sonó un balazo. El morocho sintió que el golpe lo arrancaba del piso. Tendido, aguantó el dolor que le penetraba también la espalda. Se sentó con esfuerzo y buscó el agujero por todo el cuerpo. Lo encontró en la rodilla izquierda. Cuando vio que Guglielmini y su compañero huían, se puso a llorar.

—¡Le pegué, don Ignacio! ¿Le saqué una pata! —gritó García.

Cuando el policía retiró su pistola, el delegado miró por el hueco del cartón.

—Tenés buena puntería, cabo —dijo—. La vamos a necesitar.

Entró al baño. Cerró la puerta con llave, se bajó los pantalones y se sentó sobre el inodoro. Quería pensar. Sabía que no podrían aguantar toda la noche. Les sería imposible abandonar el edificio porque el patio estaría custodiado desde los techos. Ellos no podrían acercarse con luz mientras García y él tuvieran armas. ¿Pero qué pasaría cuando se les terminaran las balas? Miró su reloj y le dio cuerda. Dentro de una hora el avión no podría volar entre las casas. De todos modos, Cerviño había hecho un buen trabajo. Concluyó que no les quedaban muchas posibilidades. Además, en la oscuridad, sin testigos, sería imposible rendirse. Se preguntó dónde estarían los vecinos, por qué no venían en su ayuda. Tiró la cadena y miró el agua que se arremolinaba dentro del inodoro. Fue hasta el espejo y se apretó un barrito de la nariz. Abrió la puerta y pasó a la oficina. Mateo estaba sentado en el suelo. Tenía la cara desencajada.

—Nunca me hubiera imaginado esto, don Ignacio —dijo.

—Yo tampoco. Cebate unos mates, ¿querés?

Dos hombres de la cuadrilla arrastraron al comisario hasta la tupida arboleda de la plaza. Luego, ayudados por dos jóvenes, lo llevaron hasta la vereda, frente al cine. La ambulancia se acercó y cargaron el cuerpo sobre una camilla. Cinco hombres subieron atrás y otro se sentó junto al que manejaba.

—¿Dónde lo llevamos?

—Al sótano del ferrocarril.

A marcha moderada la ambulancia fue alejándose del centro. Fuera del pueblo, tomó por un camino de tierra. Llanos había reaccionado, pero no se daba cuenta de lo que ocurría a su alrededor. Era como si demasiados sueños lo hubieran asaltado al mismo tiempo. Vio el revólver que le apuntaba a la cara. Después miró a los otros hombres. Sucios, vestidos con gastados pantalones, encapuchados, sostenían ametralladoras. Uno de ellos escupía a cada rato cerca de sus piernas.

—¿Qué pasa? —levantó la cabeza—. ¿Adónde me llevan?

—Prisionero de guerra —dijo el joven que le apuntaba.

—¿Qué guerra?

—Esta.

Llanos recostó la nuca sobre el borde de la camilla. Le dolía mucho la cabeza. Por primera vez le pareció difícil llegar a jefe de policía de Tandil.

El avión planeó sobre el campo, tocó los pastizales ralos y carreteó hasta un galpón. Cerviño y Juan saltaron a tierra. Juan dio un largo trago a la botella y luego la pasó a su amigo. Cerviño se echó el gollete a la boca y mientras tragaba miró el sol que se ocultaba en el horizonte, tras la línea recta de la llanura.

—Para colmo va a llover —dijo en voz baja; después miró a Juan—. Traé el bidón.

Juan corrió hasta el galpón y volvió con el combustible.

—Habrá diez litros —dijo.

—Es poco, carajo.

—DDT no hay más —dijo Juan, mientras volcaba la nafta en el tanque del avión.

Cerviño calculó que con diez litros podría hacer una pasada rápida sobre el pueblo y aterrizar en otro campo más cercano. Pero no valía la pena.

—Voy a ir de noche —dijo.

—Estás loco.

—Escuchá. Andate hasta el pueblo en la bicicleta. Avisá a la gente de la calle del municipio que cuando

58

oigan el ruido del avión, prendan las luces de los frentes, así puedo entrar por el corredor.

—Te vas a tragar los cables de la luz.

—¿Te creés que vuelo desde ayer? Nos vamos a cagar de risa, Juan.

—Si decís que va a llover… Es una locura, che.

—Dejate de joder. Después que le avisés a la gente te vas al municipio y aguantás allá. Cuando sea el momento justo hacés que don Ignacio prenda y apague tres veces las luces del frente. Entonces voy yo.

—¿Y qué vas a tirar?

—Mierda. Los voy a tapar de mierda.

—¡Juiiiii! —gritó Juan y palmeó a su amigo.

—No me llantiés la bicicleta —dijo Cerviño, y fue hasta el galpón.

Volvió al avión con una pala y diez bolsas de arpillera. Puso en marcha el motor y llevó a Torito hasta un extremo del campo. Luego lo hizo carretear y elevarse. Cerviño estaba seguro de que al chanchero Rodríguez le iba a gustar que le limpiara gratis el corral. Y hasta le prestaría veinte litros de nafta. Buscó la botella bajo el asiento, pero se la había llevado Juan.

—Borracho de mierda —dijo, y cerró la ventanilla por la que silbaba el viento.

En seguida que llegó al banco, el intendente se dio una ducha. Suprino le había llevado un traje suyo, una camisa y un calzoncillo blanco.

Guglielmini dejó que Reinaldo le vendara el tobillo herido. Ya vestido, se sentó frente a una mesa. Un muchacho de bigotes finitos, que tenía un brazalete amarillo sobre la manga derecha de la camisa, sirvió café. Guzmán entró a la oficina. Tenía un brazo atado contra el pecho. Sobre el vendaje de la mano había una opaca mancha de sangre.

—Llegaron los periodistas. Están sacando fotos de la calle. Hay uno que quiere hacerle un reportaje a Ignacio en el municipio.

—Póngalos bajo protección policial. No se pueden acercar al lugar. Que dejen las cámaras de fotos acá. Voy a dar una conferencia de prensa.

—Le aviso al comisario —dijo Guzmán.

—¿Dónde está?

—No sé. ¿No andaba con usted?

—No. Entonces dígale al oficial Rossi. Que los civiles rodeen el municipio para que no se acerque nadie.

Guzmán salió. Guglielmini prendió un cigarrillo y miró a su alrededor.

—Ya saben lo que hay que decir. Comunistas, armas, la bomba a la CGT, el atentado contra mi auto, que me salvé porque hay Dios. Todo eso. Voy a hablar yo.

Cinco minutos más tarde, los periodistas entraron en la sala. El intendente se puso de pie y los saludó con una sonrisa. Sintió que el traje de Suprino le apretaba entre las piernas.

—¿Cómo están, muchachos?

Eran cuatro y dijeron que estaban bien. El joven de bigote les sirvió café. Tres periodistas sacaron lapiceras y papeles; el otro encendió un grabador. Guglielmini empezó a hablar. Cuando terminó el relato, agregó con gesto complacido:

—Pregunten lo que quieran. Ya me conocen, yo también fui periodista.

—¿Cree que el gobierno intervendrá la municipalidad de Tandil?

—No —dijo el intendente—. El gobierno provincial, con el que estamos plenamente consustanciados en su defensa de la verticalidad justicialista, sabe que estamos llevando adelante una lucha contra la sinarquía internacional que en Colonia Vela es comandada por el delegado municipal y la juventud que se dice peronista.

—¿Usted cree que es necesaria tanta violencia policial? —preguntó un cronista.

—No ha habido violencia policial, señor. Son los marxistas los que han atacado a las fuerzas del orden. Incluso sabemos que Ignacio Fuentes asesinó a un pobre placero, obrero municipal, por negarse a pelear contra las autoridades a las que reconocía legítimas y peronistas.

—¿Esto podría ser motivo de intervención por parte de efectivos del ejército? —preguntó el del grabador.

—No, señor. Los militares están subordinados al gobierno del pueblo y sólo serían llamados a intervenir en caso de que se tratara de una sublevación importante. Pero no hay necesidad, puesto que los marxistas son una ínfima minoría. La policía y algunos ciudadanos que colaboran con ella harán cumplir la ley esta misma noche.

—¿Qué es ese olor a DDT? —preguntó otro de los periodistas.

—Teníamos un tanque en el camión. Un tanque que reventó.

—El DDT no revienta —dijo el periodista.

—Pero esta vez reventó—contestó Guglielmini—. Pueden volver a Tandil. Mañana les haré llegar un comunicado de prensa detallado.

—Yo me voy a quedar un rato —dijo un cronista—. Es una linda nota.

Guglielmini lo miró, contrariado.

—Muy bien, entonces no se acerque al lugar. No quiero periodistas heridos. Yo soy el responsable aquí.

—Una última pregunta —dijo el del grabador—, ¿quiénes son los civiles armados que hay en la calle?

—Ya se lo dije. Compañeros peronistas que espontáneamente se han unido a las fuerzas del orden. Trabajadores dispuestos a dar su vida en defensa del pueblo y de su líder.

—Claro —dijo el periodista y miró el brazalete amarillo del que había servido café—. ¿Puedo hablar con la esposa de Fuentes o la de Mateo Guastavino?

—Están incomunicadas.

—¿Y la del placero?

—Era viudo. Que en paz descanse.

II

Con amor o con odio,
pero siempre con violencia.

CESARE PAVESE

II

Llegó la noche, cálida y nublada. Un cierto olor del aire, mezclado con el calor que aún despedía el pavimento, prometía lluvia. Ignacio se preguntó, cuando miró los nubarrones a través de la banderola del baño, en qué podría favorecerlos el agua.

—Ni Dios —dijo en un murmullo—, no nos salva ni Dios.

Mateo puso el retrato de Perón sobre el escritorio. Entre los vidrios rotos había rescatado la foto en la que posaba con su uniforme militar. El cabo García, que seguía vigilando los movimientos de la calle, vio una figura que cruzaba hacia el municipio.

—¡Don Ignacio! —gritó.

El delegado corrió a la ventana y miró por el agujero.

—El loco Peláez —dijo.

El hombre llegó a la vereda con paso vacilante; miró un rato el frente del edificio estropeado por las balas y luego se acercó. Golpeó la puerta.

—Vigilá mientras abro —dijo Ignacio. Corrió el pasador y giró dos veces la llave. El loco Peláez entró. Aparentaba unos cincuenta años. La barba y el bigote casi le tapaban la cara. Sus ojos podrían haber sido dulces si no miraran tan profundamente. Tenía un clavel rojo en el ojal del saco negro, sucio y destrozado. No llevaba camisa y se le veía un matorral de pelo gris sobre la piel quemada. Arrastraba lo que alguna vez había sido un pantalón marrón. Los zapatos, en cambio, reivindicaban una pulcritud que contrastaba con el resto. Toda su ropa estaba cubierta de polvo blanco.

—Un cigarrillo —pidió. Arrastraba la voz.

Ignacio sacó un negro y se lo alcanzó. Luego le dio fuego. El loco sonrió y aspiró con fuerza.

—Me bombardearon —dijo.

Entonces empezó a gemir. El cigarrillo cayó de sus manos. Se puso las palmas sobre la cara y sollozó largamente. Ignacio lo miró con lástima. Se asombró de tener todavía capacidad para compadecerse de los demás. Había visto centenares de veces a Peláez caminar de un lado a otro del pueblo, sin rumbo. El loco solía detenerse a escribir frases extrañas sobre las paredes o los frentes de las casas. Dormía a la intemperie en la plaza o bajo las chapas del corralón municipal; a veces en algún zaguán abierto. Nadie lo había visto comer jamás.

Ahora estaba parado allí, cubierto de luz. Se dobló para levantar el cigarrillo y le costó llegar con la mano al suelo. Por un instante la atención de los tres hombres se fijó en él. Peláez, al agacharse, había descubierto el cuerpo de Moyano, tapado con diarios. Se acercó, levantó uno y le miró la cara. Otra vez rompió a llorar. Se puso de rodillas, abrazó el cadáver y lo estrechó contra su cuerpo. Ignacio vio que el clavel se aplastaba sobre la nariz del placero.

A lo lejos sonaron dos balazos. García miró atentamente hacia la calle, pero no vio movimientos, salvo la lámpara que oscilaba suavemente y repartía luces y sombras sobre los frentes de las casas. En la oficina sólo se oía el llanto de Peláez. De pronto, como si todo su dolor se hubiera agotado en un instante, se quedó en silencio.

—Me dejaba dormir en un banco —murmuró. Luego miró a García—. Cuando estuve preso, vos me metiste en el agua. Vos sos hijo de puta. Moyanito era un viejo bueno.

Sus ojos recorrieron el salón, las paredes, y se detuvieron en el crucifijo. Se acercó a la cruz que pendía detrás del escritorio, sobre la pared, y se persignó.

—Padre nuestro que vos estás en los cielos, Dios te salve María, llena eres de gracia, que el señor contigo.

—Lo único que faltaba —dijo García.

—¿A qué viniste? —preguntó Ignacio.

—Traía un papel que me dio Juan. Me dijo que era un verso para don Fuentes.

Buscó en los bolsillos.

—Pero lo perdí. Lo tiré.

Ignacio miró a Mateo.

—¿Qué diría? —dijo Mateo.

—Cosas. Secretos. Me dijo secretos, por eso lo tiré.

Lo miraron con inquietud.

—Me bombardearon —gimió nuevamente.

—¿Quién? —preguntó Ignacio.

—El Señor. Dios me castiga.

—¿Dónde te castigó?

—En la casa de la CGT. Nadie me da nada por loco. Moyanito sí me daba, por eso Dios lo castigó —se limpió la nariz con la manga del saco.

—Estabas allá.

—Sí. Dormía. El mundo tembló, Dios nos salve. Salí corriendo. Después Juan me dio el papel con el secreto. No digas nada a nadie, me dijo. ¿A quién voy a decir? Digo yo, ¿a quién?

—El mensaje era para nosotros —dijo Ignacio.

—Sí. Pobre Moyanito. El me dio una flor esta mañana. Yo la sacaba igual, pero él contento.

—No te acordás de nada.

—De la luz. Que a todos nos ilumine.

—¡Me cago en la mierda! —dijo Ignacio—. ¡Mandar un mensaje con el loco! ¡Hay que ser boludo!

—¿Puedo dormir acá?

—No —dijo Ignacio—. Acá va a haber balazos, tiros ¿entendés?

—Tiros. Yo duermo bien. Con Moyanito vamos a dormir. El me dejaba.

A las dos de la madrugada, Guglielmini mandó atacar. Suprino salió con un grupo de seis civiles, Rossi con cuatro policías y Reinaldo con otros seis muchachos de Tandil. En media hora cerraron la calle del municipio con una motoniveladora, dos tractores y una topadora. Todas las casas estaban a oscuras. Sólo las lámparas que colgaban sobre la calle iluminaban tibiamente la escena. Los hombres fueron apostándose tras las máquinas. El silencio era quebrado apenas por los pasos apurados, el ruido de los percutores de las escopetas y de los cargadores de las ametralladoras. Cerca de las dos y media, Suprino gritó la orden de fuego. Al estruendo de los disparos siguieron un relámpago y un trueno. El frente del edificio municipal resistió la andanada, pero los cartones de las ventanas desaparecieron en un instante. La segunda descarga de ametralladora rompió la puerta y dejó un enorme hueco hacia la noche. Las primeras gotas de lluvia cayeron entonces sobre Colonia Vela.

La oficina del municipio temblaba como una caja de cartón. El cabo García se apretó contra la pared, junto a la ventana; Ignacio se tiró al suelo y Mateo se metió en el baño. Cuando la puerta se convirtió en astillas, el loco Peláez se puso de pie.

—Ellos mataron a Moyanito —dijo—. Dame una escopeta.

El cabo dudó.

—¡Dale! —gritó Ignacio—. ¡Dale la de Comini!

Peláez tomó el arma. Sólo sabía que debía apretar el gatillo.

—¡Tirate al suelo! —gritó Ignacio, y se arrastró hasta la otra ventana.

Las balas entraban en las paredes con golpes secos. Los cartones destrozados dejaban ver negros huecos y a lo lejos las breves llamaradas de las ametralladoras. Peláez se hincó y avanzó sobre sus rodillas. Cuando llegó junto a Ignacio, asomó la cabeza por la ventana. Un balazo le arrancó la oreja derecha. Peláez no debió haberlo sentido; se puso de pie y tiró, ciego. Después del escopetazo se escuchó una explosión. Había reventado el neumático de un tractor. Peláez quedó sentado por el culatazo de su escopeta. Desde la topadora todas las armas abrieron fuego al mismo tiempo que el loco se ponía de pie. El golpe en el pecho lo empujó hacia atrás y lo revolcó por el piso. El cabo García asomó el caño de su ametralladora, disparó una ráfaga y luego otra. Peláez se arrastró. Tenía el pecho destrozado y el cuero cabelludo le colgaba sobre los ojos. A tientas buscó la ametralladora de Ignacio. El delegado se la puso en las manos. El loco se echó hacia atrás el cuero que le tapaba la frente y la sangre le corrió por la espalda. Avanzó de rodillas hacia el hueco donde había estado la puerta y salió. La lluvia le limpió los ojos. Descargó la ametralladora antes de que otra andanada lo levantara del suelo hasta casi ponerlo de pie. Su cuerpo quedó sobre la vereda, con los brazos colgando hacia la alcantarilla.

Torito se movió con dificultad. Sobrecargado, con sus lisas cubiertas adheridas al suelo mojado, corrió por el campo de avena. Cerviño intentó levantarlo. La máquina, acelerada a fondo, se elevó cinco metros y volvió al piso con un crujido del fuselaje. El campo estaba completamente a oscuras. A cien metros, la luz de la casa del chanchero Rodríguez servía para que el piloto no se sintiera invadido por la soledad de la pampa. Cerviño calculó que el alambrado estaría lejos. Esperó un relámpago para saberlo. La lluvia sobre el motor del avión producía chistidos como los de mil lechuzas.

A la distancia todo era estruendo. Un relámpago que duró un segundo le hizo ver lo mal que había calculado. El alambrado estaba a sólo cincuenta metros. Cerviño hizo girar el avión en sentido contrario. La máquina se sacudía por el viento y la fuerza del motor. El piloto sacó una botella de ginebra de una bolsa y tragó hasta que se quedó sin aire. Hubo otro golpe de luz y Cerviño vio el horizonte. Sonrió. Con las palmas de las manos acarició el tablero de la máquina.

—Vamos, Torito viejo y peludo. Vamos nomás.

Aceleró a fondo. Las ruedas patinaron y luego corrieron sobre la avena. Cerca del alambrado, Torito despegó; se elevó cincuenta metros y perdió altura. Sopló. Todo el fuselaje vibró y se recuperó, como si la fuerza de Cerviño lo ayudara. Subió lentamente, frenado por el viento. El altímetro nunca había funcionado, pero por la luz de la casa del chanchero Cerviño calculó que estaría a más de doscientos metros.

—¡Torito bravo! —gritó, y buscó otra vez la botella.

Juan sabía que la memoria del loco Peláez no era de confiar, pero corrió el riesgo. Después de avisar a los primeros vecinos de la calle que hicieran correr la voz de encender las luces, decidió jugar otra carta desesperada. Pedaleaba fuerte a favor del viento por el camino de ripio. Se daba cuenta de que los ojos no le servían de nada. La lluvia y la noche cerrada lo habían convertido en un autómata. Al llegar a la curva del primer barranco, salió despedido contra un alambrado. Dio una voltereta y su cuerpo se hundió en el barro. Se levantó despacio, tomándose de un poste. Sus pies chapotearon en una zanja. Sólo distinguía sombras, vagas imágenes de árboles y nubes negras. La lluvia le golpeaba la cara y el cuerpo cubierto apenas por una camisa. Buscó a tientas la bicicleta. "Puta que te parió", se decía, mientras lograba afirmarse con las piernas en el barro. El cromado del manubrio brilló bajo un relámpago y Juan vio a lo lejos el depósito de Vialidad. Aferró el cuadro, luego el asiento y se levantó. Advirtió que la rueda delantera había perdido su simetría. La metió entre las piernas, giró el manubrio con todas sus fuerzas y lo enderezó. Montó y volvió a pedalear con furia.

Los truenos, seguidos de víboras de luz, le daban un cierto temor. Estaba llegando al galpón cuando sintió el martillazo seco en la rodilla derecha y su cuerpo se fue otra vez al suelo. Un dolor punzante y un rápido temblor le recorrieron la pierna golpeada. Sintió la boca llena de un sabor dulce y escupió sin saber si era barro o sangre. Empezó a tantear hasta tomarse de un tronco y se puso de pie.

—¡Qué boludo, tragarme la tranquera! —dijo en voz alta.

Se agachó y pasó dificultosamente entre las barras de hierro. Arrastrando la pierna herida caminó hasta el galpón. El portón parecía infranqueable, pero la ventana era frágil, de madera vieja y reseca. Anduvo de un lado a otro hasta encontrar una piedra de buen tamaño. Empezó a golpear un postigo que tardó cinco minutos en quebrarse. Juan trepó hasta el vano y saltó adentro. Al caer, el dolor que sentía en la pierna le subió hasta los ojos. Los cerró y apretó los párpados con toda su fuerza. Buscó los fósforos en un bolsillo. Estaban mojados. Se apoyó en la pared y fue tanteándola hasta llegar al portón. Luego encontró la llave de la luz. Encendió. Pestañeó hasta acostumbrarse al resplandor. El viento soplaba de tal manera que las chapas del techo parecían a punto de ser arrancadas de los tirantes. Empezó a buscar. En un cajón estaban los cartuchos, con mechas largas y secas. Tomó diez. Los envolvió en un trozo de lona, los ató con un alambre oxidado y los colgó de su cinturón. Luego encontró una linterna. Era cromada y tenía el sello de Vialidad. Apagó la luz. Saltó por la ventana y caminó hasta la tranquera. La pierna ya no le dolía tanto.

—¡Paren! ¡No tiren más! —gritó Suprino a sus hombres.

Entre la oscuridad y la cortina de agua no podía distinguir de quién era ese cuerpo que estaba tirado a lo largo de la vereda del municipio. Se reunió con Rossi y Reinaldo detrás de la topadora.

—Para mí es Ignacio —dijo Suprino—. Salió a morir como un héroe el boludo.

—¿Cuantos quedan adentro? —preguntó Minaldo.

—Mateo, Juan y García —respondió Suprino.

—Se van a rendir. No sirven para nada —agregó Reinaldo.

Suprino miró a Rossi.

—¿Dónde se metió el comisario?

—Desapareció.

—Se habrá ido —dijo Reinaldo—; se cagó.

—Bueno —el oficial Rossi levantó la voz—, yo soy el jefe ahora.

Miró a un agente que había perdido la gorra y estaba empapado.

—Vos, traé la bocina.

El agente corrió y en seguida regresó con un megáfono.

—Vamos a decirles a ésos que se rindan —dijo Rossi.

—Dame a mí —Suprino le quitó el aparato.

La lluvia arreciaba y el calor había desaparecido de los cuerpos mojados. Los civiles se habían refugiado bajo la topadora. El agua bajaba como un arroyo por la calle y chocaba contra sus cuerpos, pero pese a todo algunos se las arreglaban para fumar. Suprino se metió en la cabina de un tractor, dejó la puerta abierta y habló por el megáfono.

—¡Mateo! ¡García! ¡Juan! ¡Salgan! ¡Ustedes no tienen la culpa de nada!

Hizo una pausa.

—¡Ignacio está muerto! ¡No peleen al pedo!

Otra pausa.

—¡Si salen no les va a pasar nada!

Nadie contestó.

—¡García! ¡Te vamos a respetar el grado de cabo!

Suprino miró a través de la lluvia, pero no vio ningún movimiento en la puerta del municipio. Rumió una puteada.

—¡Les damos cinco minutos, che! ¡Si no salen les tiramos la casa abajo con la topadora! ¡Los vamos a fusilar, carajo!

Miró su reloj. Pensó que no podían esperar un minuto más. Bajó de la cabina y caminó hasta la topadora. Frente a la máquina se agachó y miró a los civiles. Uno de ellos, que descansaba apoyado en una rueda, le devolvió la mirada.

—Oiga, don —dijo—, esto es un quilombo.

—Cállense la boca y salgan de ahí que les vamos a tirar la topadora encima.

El joven movió la cabeza.

—No va más, viejo. Basta de jugar. Ahora mandamos nosotros.

Salieron uno detrás del otro. El primero apoyó su escopeta contra el pecho de Suprino.

—Los vamos a sacar y no va a quedar uno vivo, ¿entiende?

—Claro —dijo Suprino—. Pero no se pongan nerviosos. Yo sé lo que tengo que hacer.

—Usted es un boludo. Nos vamos a pescar una pulmonía por culpa suya. Ahora va a ver como se trata a esta clase de tipos.

—Me confundieron con el loco —dijo Ignacio en voz baja.

—¡Pusieron en marcha la topadora! —gritó García, Me parece que se nos van a venir encima. Mejor nos entregamos.

—El cabo tiene razón —dijo Mateo.

—Me van a conservar el grado —dijo García.

—No te lo van a conservar —se enojó Ignacio—. Si te quedás, mañana vas a ser sargento.

—¿Ahora?

—Está bien, ahora. Escribí, Mateo, hacele el nombramiento.

El empleado fue hasta la máquina.

—Ellos piensan que estoy muerto —dijo Ignacio—; vamos a dejar que se lo crean. Hablá vos y decí que ustedes se van a entregar, pero que necesitan garantías. Que vengan los periodistas.

—¿Y después?

—Ya vas a ver, sargento; los vamos a joder.

—¡Sargento! ¡En un solo día de milico a sargento!

—Para eso peleás.

—Claro. Voy a hablar.

Se acercó al hueco de la puerta y gritó:

—¡Oficial Rossi!

Hubo un breve silencio.

—¿Quién es? —gritó Rossi.

—¡Soy el sargento García!

—¿Qué sargento?

—¡Sargento García, che!

—¡Salí, güevón, o los vamos a hacer moco!

—¡Queremos garantías! ¡Que vengan los periodistas!

Mateo alcanzó una planilla a Ignacio. El delegado firmó.

—Ya sos sargento —dijo.

García se dio vuelta y miró al delegado.

—Gracias, don Ignacio. Se lo voy a reconocer.

—Vos, Mateo, traé la garrafa de la cocina. Y una botella de querosén —dijo el delegado.

77

—¿Qué va a hacer?

—Ya vas a ver. Rogá para que siga lloviendo.

Mateo fue hasta la cocina y volvió con la garrafa y, una damajuana.

—García, deciles que dentro de tres minutos van a salir.

El sargento gritó:

—¡Che, Rossi!

—¡Qué!

—¡Vamos a salir dentro de tres minutos! ¿Tenés a los periodistas?

—¡Acá están!

Ignacio y Mateo amontonaron carpetas, papeles y sillas cerca de donde había estado la puerta. Luego, el delegado roció todo con querosén y puso la garrafa encima.

—Ahora ustedes se entregan —dijo.

—¿Quién se va a entregar? —preguntó García.

—Ustedes.

—Está bien —dijo Mateo.

—¿Todo esto para después entregarnos? —protestó el sargento.

—No podemos hacer otra cosa. Si salimos todos por atrás nos van a bajar a tiros.

—Que se entregue Mateo, que no sirve para esto.

—Vos también.

García miró al delegado. Sonrió con amargura. Sus dientes sucios por el tabaco tenían cierta fiereza.

—¿Qué le pasa? ¿Se quiere escapar solo?

—Sabés que no me voy a escapar.

—Bueno, donde usted vaya, ahí estoy yo. ¿O se cree que si me rindo me van a recibir a los abrazos?

Ignacio lo miró. Tuvo que sonreír. Con una mano apretó un hombro del policía. Luego miró al empleado de la municipalidad.

—Salí, Mateo.

Mateo fue hasta la puerta. Se dio vuelta.

—Cuidesé, don Ignacio —dijo.

—Seguro, andá tranquilo.

Mateo se asomó y gritó:

—¡Soy Mateo! ¡Voy a salir!

—¡Levantá las manos! —gritó Rossi.

Mateo alzó los brazos y salió. Temblaba. La lluvia le empapó la ropa apenas llegó a la vereda. Pasó sobre el cuerpo del loco Peláez. Mientras cruzaba la calle pensó en su hija. El agua le cubría las pantorrillas.

Dos civiles salieron a buscarlo. El cielo se estremeció con un rayo que desgarró las nubes y demoró el estallido. Empujaron a Mateo hasta detrás de la topadora, donde esperaba Suprino.

—Yo no me quería quedar —dijo el empleado

Suprino le pegó un derechazo en la nariz. Mateo cayó contra la cabina. Un civil lo golpeó con el caño de su ametralladora en el estómago. El empleado resbaló de espaldas a la enorme rueda de la máquina.

79

Mientras caía empezó a ahogarse y escupió. El pantalón blanco del civil se manchó de rojo a la altura de las rodillas; Mateo quedó sentado y su cabeza se volcó sobre un hombro.

—¡Hijo de puta! ¡Te voy a reventar! —rugió el muchacho del pantalón manchado. Levantó la ametralladora y con la culata descargó un golpe a la cabeza del empleado municipal. Sus cabellos se pusieron súbitamente rojos y la sangre le corrió por el saco suavemente. Suprino se interpuso entre Mateo y el civil. El muchacho levantó el caño de su arma y lo puso frente a la nariz del secretario del partido.

—¡Salí! —dijo con voz nerviosa—. ¡Salí o te cocino a vos!

Suprino se apartó. Miró a Rossi.

—Llevátelo. Metelo en la comisaría.

Rossi vaciló frente al civil que seguía apuntando.

—Te quedás ahí —amenazó el muchacho—. Me lo dejás a mí.

Se agachó y miró la cara de Mateo. Tenía los ojos cerrados. El civil sacó una pequeña sevillana y la abrió con un ruido breve y seguro. La acercó a la garganta de Mateo y presionó. La hoja rompió la piel. El empleado dio un respingo y abrió los ojos.

—No… no me mate —balbuceo—. I… Ignacio está… vi… vivo…

—¿Qué le parece, viejo? —su voz era burlona—. Se están cagando de risa de usted.

Suprino se agachó y tomó a Mateo de las solapas.

Cuando lo sacudió, la navaja del muchacho entró un poco más en la garganta herida.

—¿Qué decís? —la voz de Suprino era un alarido—. ¡Hablá o te arranco la cabeza!

Mateo cerró los ojos con fuerza y tembló. De entre sus labios salió una espuma oscura. Volvió a escupir pero casi no tenía aliento. El líquido sucio se deslizó sobre su camisa. Hizo un esfuerzo. Su voz no tenía tono.

—Se es... está... esca... pando...

—¿Quién es el muerto ése? —preguntó el civil y señaló la vereda.

—Peláez... el lo... —quiso seguir, pero las palabras se le quedaron entre los dientes.

—El loco Peláez —dijo Suprino.

Los hombres se miraron. Rossi pateó al caído en las costillas. El cuerpo apenas se movió. Guzmán y Reinaldo se acercaron al lugar. Reinaldo miró un rato a Mateo. Después se dirigió a Suprino.

—¿Qué hacemos? —dijo con tono preocupado.

—Poné en marcha la topadora. Les vamos a remover la cueva.

—¿Qué hago con éste? —Rossi señaló a Mateo.

—Le hacés la boleta.

—¿Cómo?

—Que le hagás la boleta.

—Está loco.

—¡Te digo que lo liquidés, carajo! ¿O querés que te haga cagar a vos?

Rossi le miró los ojos. Ardían en la lluvia. Junto a Suprino, el civil apuntaba con su ametralladora.

—Me parece mucho —dijo Guzmán—. Después de todo no es contra él la cosa. Podemos dejarlo en la comisaría.

—¿Para que cuente todo? Por ahí anda un periodista, y a la mañana van a venir los de Buenos Aires. Estamos metidos hasta la cabeza.

—No me gusta. Si lo matan yo me abro. Es demasiado.

Se miraron. El civil empujó a Rossi contra la topadora.

—¡Vamos! —gritó—. ¡Hacé lo que te dicen!

—Está bien —dijo Guzmán—. Yo me voy. No quiero saber nada con esto.

Empezó a cruzar la calle. Todas las miradas lo siguieron. Cuando llegó al círculo de luz que bajaba del farol, el civil dio un grito.

—¡Guzmán!

El martillero se dio vuelta. La ráfaga de ametralladora lo empujó hacia la sombra. Cerró los brazos sobre el estómago y caminó cuatro pasos a ciegas. La segunda descarga le dio en las piernas. Al caer golpeó la cabeza contra el pavimento. Tuvo un último espasmo y se quedó quieto. El civil se acercó y desde tres metros tiró otra vez contra el bulto. El cuerpo rodó hasta quedar flojo y desarticulado.

El muchacho volvió sobre sus pasos y apuntó al

grupo. Los miró uno a uno. Luego fijó sus ojos en los de Suprino.

—Necesitábamos un muerto, ¿no? —dijo.

Nadie le contestó. Estuvieron un rato en silencio. El primero en moverse fue el oficial Rossi.

—Vos, ayudame —dijo a Reinaldo. Se agacharon, tomaron a Mateo por los brazos y lo pusieron de pie. El empleado municipal arrastraba las puntas de los zapatos. Su cabeza caía sobre la de Reinaldo, que sintió el estómago revuelto. Llegaron hasta el tractor. Rossi empujó a Mateo contra el radiador. El cuerpo cayó doblado hacia adelante. El policía sacó su pistola. Reinaldo lo miró. Rossi tiró dos veces y se quedó parado, como si observara algo ajeno e inasible. Reinaldo empezó a vomitar.

La calle se iluminó con un resplandor rojo. Por las ventanas del municipio empezaron a salir espesas llamaradas. El frente del edificio estalló arrastrando ladrillos y maderas. Suprino y los civiles corrieron hacia las esquinas. Sólo Reinaldo y Rossi se quedaron parados donde estaban. El policía oyó cuando Mateo gimió por última vez.

Ignacio y el sargento García salieron arrastrándose al patio. Cuando escucharon la explosión corrieron hasta una pared lateral y se echaron sobre un cantero de flores. El cielo empezó a iluminarse por el fuego. Ignacio vio a un hombre agachado sobre un tejado vecino. Casi le daba la espalda.

—Vamos —dijo.

Treparon la medianera y saltaron al fondo vecino. Un gallo empezó a gritar como si vinieran a buscarlo; las gallinas saltaron, ciegas, al suelo mojado. García tropezó con un bulto blanco que cacareó y dio un salto. Ignacio abrió una puerta de alambre y salieron al patio. La casa seguía a oscuras. Saltaron otra tapia y luego pasaron sobre un cerco de ligustrines. Detrás, encontraron un corredor que salía a la calle. Avanzaron. Ignacio se asomó. Había unos pocos autos que tenían el aspecto de estar abandonados desde hacía mucho tiempo. Fueron deslizándose por la vereda hasta llegar a la esquina. Allí, casi bajo el farol, Ignacio vio la camioneta que le había vendido a Suprino. Estaba acordonada frente a la casa del secretario del partido. Era una Ford A con techo de lona. Ignacio recordó que nunca había tenido arranque. Buscó la manija en la cabina, bajo el asiento. Luego fue hasta el paragolpes delantero y la colocó con dificultad. La hizo girar dos, tres veces, hasta que el motor arrancó. Subieron. El asiento estaba empapado. Ignacio apretó los dientes, puso la primera y empezó a soltar el embrague. Toda la carrocería se sacudió. En ese momento, escucharon una voz joven.

—Hasta acá llegaron, muchachos.

El caño de la escopeta se apoyó en la cabeza de Ignacio. El sargento García, con un movimiento casi imperceptible, acercó la mano derecha al gatillo de su ametralladora y puso cuidadosamente un dedo sobre él.

—Bajen con las manos levantadas —dijo el muchacho.

García apretó el gatillo. La puerta de la camioneta voló, arrancada por los impactos. El cuerpo del joven saltó hacia atrás y se tumbó retorciéndose en el medio de la calle. La camioneta dio un salto y se detuvo.

—¡Dale manija! —gritó el delegado. García abrió la puerta que quedaba y corrió a la trompa del Ford. Giró la manija varias veces. Ignacio pensaba que siempre había sido un motor mañero cuando vio a los seis hombres que les apuntaban. Suprino dijo:

—Me hiciste pasar un mal día, Ignacio. Más vale que empecés a rezar.

La bicicleta subió al pavimento, hizo una ese y luego se enderezó. Juan quiso pedalear más rápido, pero estaba agotado. Cuando oyó la explosión estaba a media cuadra de la plaza. Levantó la cabeza para ver el fuego sobre las casas. Por un momento tuvo la sensación de que los cartuchos de dinamita serían inútiles. Tiró la bicicleta contra el primer árbol de la plaza y se internó entre los canteros de amapolas. Un obrero de la cuadrilla le salió al paso. Luego, otros corrieron hasta el lugar. Juan desprendió el paquete de su cinturón y lo entregó al primer hombre que llegó hasta él.

—Es dinamita, compañero —dijo.

—¡Dinamita! —gritó un peón de cara aindiada—. ¡Dinamita para meterles en el culo a los gorilas!

Juan se sentó bajo un árbol tupido, donde apenas pasaba la lluvia. Un hombre bajo y barrigón se acercó y le alcanzó una botella de vino. Juan tomó un trago. Luego se recostó contra el árbol y se quedó dormido.

El comisario Llanos estaba incómodo. Lo que más le molestaba era la picazón en la cabeza, que a cada rato lo obligaba a rascarse contra la pared. Al menos, pensó, quienes lo habían dejado allí eligieron un ángulo de dos paredes que le permitía frotarse con cierta facilidad. Tenía las manos y los pies bien ajustados y sus intentos por desatarse habían sido inútiles. El pañuelo que le tapaba los ojos presionaba demasiado sobre las orejas pero pudo escuchar una puerta que se abría. Después, unos pasos sobre una escalera de madera. Oyó que alguien se detenía cerca suyo y dejaba algo pesado sobre lo que Llanos imaginó sería una mesa.

—¿Cómo anda, comisario? —dijo el recién llegado.

—Más o menos —contestó molesto. La cabeza le picaba otra vez.

—¿Se va a tomar una cañita conmigo?

—Me gustaría —dijo Llanos—, me estaba faltando compañía.

Los pasos se acercaron y el comisario sintió unas manos ásperas y huesudas que le arrancaban el pañuelo de los ojos. El lugar estaba en semipenumbra. La escasa iluminación llegaba de un farol a querosén cuya mecha despedía un humo negruzco. Llanos parpadeó unos instantes pero en seguida se acostumbró a la débil luz. Se inclinó para rascarse la cabeza contra la pared y luego miró al hombre.

—La picazón me tiene mal.

El que estaba de pie era alto y macizo. Cubría su cabeza con una media de mujer a la que había hecho dos agujeros a la altura de los ojos. Vestía una campera de cuero negra y un pantalón marrón muy arrugado. Por la campera corrían hilos de agua. Sacudió la cabeza y algunas gotas salpicaron al comisario.

—Sigue lloviendo —dijo el policía.

—A baldazos.

Llanos lo miró más detenidamente.

—¿Usted es de aquí? —preguntó.

El encapuchado no contestó.

—¿Me va a convidar la caña?

—Ya.

El hombre fue hasta la mesa, abrió un bolso, sacó una botella y le quitó el corcho. Tomó un trago y se acercó al comisario.

—Le voy a tener que dar como en mamadera.

—No me va a desatar.

—No.

El comisario abrió la boca y el encapuchado le metió el pico de la botella entre los dientes. Llanos tragó un par de sorbos y luego se atoró.

—Perdone —dijo el hombre—; la incliné demasiado.

—¿Hasta cuándo me va a tener así?

—Hasta las siete. Si no recibo otra orden, a las siete pasadas lo fusilo.

Llanos se estremeció.

—No joda. ¿Quién le ordenó?

—Los muchachos. Hasta las siete, me dijeron. Si no viene alguno con otra orden…

—¡Carajo! —dijo el comisario—. ¿Y cuántos son ustedes?

—Si no lo sabe usted que es policía.

—Yo qué sé —volvió a rascarse contra la pared—; ya no entiendo nada.

Hizo un esfuerzo por cambiar de posición.

—Me han puesto el culo contra una tabla. Me duele.

—Comisario.

—¿Qué hay?

—Le voy a desatar las manos. Las manos nada más, para que se pueda rascar la caspa. No va a querer joder, ¿no?

—Puta, cómo te agradezco, macho.

—No se crea que es de güevón. Tengo una escopeta.

—No, no te calentés, che.

Le desató las manos. El comisario movió los dedos para desentumecerlos y después se sacó una lagaña.

—Ahora sí, dame la botella.

Se la alcanzó. Llanos tomó dos tragos abundantes y respiró hondo. Miró al hombre que tenía delante, recortado por la luz de la lámpara.

—¿Cuántos años tenés?

—Veinticuatro.

—No te vas a animar a matarme así.

—Así cómo.

—A sangre fría.

—Las cosas son así, comisario.

—Hay que ser cobarde para matar a un hombre atado.

—Lo voy a desatar.

—Lo mismo, che, eso no está bien.

—A las siete pasadas, me dijeron.

—¿Qué hora es?

—Las tres y cuarto.

La manopla de bronce golpeó la mandíbula de Ignacio. El delegado cayó sobre el fichero de las cuentas bancarias y percibió, vagamente, que algo se le clavaba en la espalda. Sintió que masticaba sus propios dientes. El aire se abría paso apenas hacia sus pulmones. Vio llegar el zapato sobre su cara. Consiguió esquivarlo, pero el golpe le dio en el pecho. La oficina desapareció por un instante, pero luego volvió a iluminarse y el delegado vio todo dificultosamente. Las imágenes oscilaban. Alguien le tomó una pierna y lo arrastró un par de metros. Dos hombres lo levantaron para acostarlo sobre algo que a Ignacio le pareció un escritorio. Cerró los ojos y trató de escuchar las voces que se cruzaban cerca suyo, pero le era imposible recibir una señal coherente. Un zumbido agudo le revolvió la cabeza y se le alojó en el cerebro. Oyó cómo de su garganta salía un rugido. Su propio grito le dio una sensación de horror. Hizo un esfuerzo por abrir los ojos, pero los párpados le pesaron como cortinas de plomo. Por fin, aferrándose con las manos a los bordes de la mesa, logró levantarlos. Vio un punto rojo, humeante. Un fuego sólido se apretó sobre sus ojos. Sintió que su cabeza era una confusión de dolores que no conseguían fundirse en uno solo. Quiso que la muerte lo arrancara de esa pesadilla.

El edificio municipal empezaba a derrumbarse. El pesado camión de los bomberos llegó con sólo tres hombres a bordo, mientras hacía sonar la sirena llamando a otros voluntarios. Todo el pueblo parecía teñido de un rojo suave. Los bomberos se habían puesto los uniformes con apuro y ahora no conseguían desenrollar la manguera reseca. El jefe pensó que si Dios seguía enviándoles agua, el edificio se apagaría solo. Pero antes tenía que aislar las casas vecinas del fuego. De todas maneras, el problema era serio. La gente seguía en la calle, se apretaba en las veredas y dificultaba el trabajo. Desde la plaza salieron ocho hombres. Cruzaron por la esquina y se mezclaron con los vecinos. Cada uno llevaba un cartucho de dinamita.

El periodista de Tandil que se había quedado en el pueblo luego de la conferencia de prensa se acercó a la esquina de la plaza. Pensó que nunca había visto nada igual. Hombres disparando armas por las calles, muertos, heridos y ahora un incendio. Un muchacho alto, de pelo muy corto, que estaba oculto en la sombra de un zaguán, lo tomó de un brazo y lo atrajo hacia la oscuridad.

—Usted es periodista, ¿no?

—Sí.

—Bueno. Dígales a Suprino y al intendente que entreguen a Ignacio antes de las siete. Si a esa hora no está el delegado en el andén de la estación, allá van a encontrar el cadáver del comisario Llanos.

—¿Ustedes lo secuestraron?

—Digamos que es prisionero de guerra.

—¿Quién es usted?

—No importa.

—¿La policía tiene al delegado?

—Sí. Es mejor que los busque en seguida porque lo van a matar. Usted vio lo que hicieron con Mateo y con el otro, ¿no?

—Guglielmini no va a dejar que sigan matando gente.

—Vaya a ver. Y apúrese si quiere servir para algo.

Sobre las casas, a cien metros de altura, pasó el

91

avión. El hombre levantó la cabeza como si pudiera verlo a través del techo. Cuando el periodista se iba, volvió a tomarlo de un brazo.

—Pregunte también por un vigilante que se llama García. Que aparezca con el delgado.

—Ustedes están locos. Me parece que si las cosas siguen así va a venir el ejército.

—Nosotros creemos lo mismo. Por eso tenemos apuro.

El periodista se alejó. Cuando llegó a la esquina vio que todas las luces de los frentes de las casas se encendían a lo largo de la calle principal. Escuchó, más cercano, el ruido del avión.

Cerviño miró el fuego y su resplandor reflejado en el parabrisas.

Torito brincaba en la tormenta, caía en profundos pozos de aire. Le dio bronca llegar tarde. No conseguía imaginarse qué estaría pasando abajo. Si Suprino y Llanos habían incendiado el municipio, era posible que Ignacio se hubiera entregado. O quizá lo habían matado. Y Juan, ¿dónde estaría? Todo el plan se había complicado. Tenía que decidir por sí mismo qué hacer. Cuando picaba hacia abajo, veía movimientos nerviosos frente al edificio de la municipalidad, pero el reflejo de las llamas y la cortina de agua le impedían ver con precisión qué pasaba. De pronto, las luces de la calle central se encendieron. Cerviño se tranquilizó. Mientras buscaba el extremo de la improvisada ruta, concluyó que el bombardeo sería beneficioso de cualquier manera. Bajó la velocidad del motor y dejó que Torito planeara, que el viento lo arrastrara fuera del pueblo. No le sería fácil entrar por ese corredor a baja altura. Pensó que su intento se haría más peligroso cuando el fuego del municipio estuviera cerca y no lo dejara ver adelante. Tenía que medir la fuerza del viento, la altura de los cables, la potencia del motor. Se dijo que éste era el entrevero más peliagudo en el que Torito y él se habían metido en los doce años que llevaban juntos.

Giró ciento ochenta grados en la oscuridad y otra vez vio el fuego a lo lejos. Entonces escuchó que el motor se ahogaba y vio la hélice detenida ante sus ojos. Sin defensa, Torito quedó al capricho del viento. Cerviño calculó que no estaba demasiado lejos de la tierra. No pudo evitar un sentimiento de disgusto, como si se viera traicionado por un amigo. "En las malas no, Torito", rezongó. Apretó el arranque. Al segundo intento el motor se puso en marcha, pero volvió a detenerse. Mientras insistía, Cerviño pensó que el distribuidor se habría mojado. En ese momento, Torito rugió y se dejó acelerar a fondo. Lentamente retomó altura. Cerviño golpeó el tablero con los puños y gritó:

—¡Torito macho, carajo!

Levantó la botella de ginebra y se mandó un trago.

—¡Salú, hermano! —gritó y volcó un chorro sobre

el viejo tablero—. ¡Mierda! ¡Los vamos a hacer cagar!

Enfiló hacia el fuego y se metió en un remolino de viento. Dejó que Torito perdiera altura hasta casi tocar los techos de los autos. Entonces aceleró a fondo. A los costados las luces de las casas desfilaban a una velocidad vertiginosa. Cerviño vio el reflejo que cambiaba de colores sobre las alas del avión. Levantó la palanca que abría el depósito y la carga empezó a caer suavemente, mezclada con la lluvia.

Juan durmió media hora. A las cuatro, Morán lo despertó palmeándole un hombro

—¿Descansó bien?

Le dolían los músculos de las piernas y tenía los ojos pegoteados por una pasta seca. Se los frotó con las manos y logró abrirlos. Junto a Morán había otro hombre.

—El compañero es nuestro jefe —dijo Morán.

La lluvia golpeaba furiosamente contra las copas de los árboles. Juan se puso de pie con esfuerzo. Apoyó las manos en las rodillas doloridas y flexionó la cintura. Levantó la vista y miró al que estaba junto a Morán. Era un hombre de unos treinta años. Vestía pantalón vaquero, camisa a rayas y una campera de tela dura. Llevaba una pistola sujeta al cinturón.

—Buen trabajo —dijo con una sonrisa.

—Todo al pedo —contestó Juan y se pasó las manos por la cabeza.

—¿Por qué? —preguntó el hombre.

—¿Dónde está Ignacio?

—Lo agarraron.

Juan sacudió la cabeza.

—Ya ve. Todo al pedo.

—Lo vamos a sacar —dijo el hombre. Juan lo miró a los ojos.

—¿Cómo?

—Ya va a ver. ¿Quiere ayudar?

—Me gustaría tomar un traguito antes. Estoy un poco flojo.

Morán se apartó y volvió con una botella de vino. Juan se enjuagó la boca y escupió. Luego empezó a tragar ansiosamente Cuando la botella llegó a la mitad, la devolvió.

—¿Qué hay que hacer?

—Usted va a meter unos cartuchos en el baño. A las cuatro y media justas.

—¿En qué parte?

—Suba al techo. Junto al tanque de agua va a encontrar una claraboya cerrada por barrotes de hierro. Rompa el vidrio, sostenga los cartuchos con hilo sisal y métalos encendidos entre los barrotes. Prenda las mechas a las cuatro y veinticinco. La claraboya está sobre el baño, muy cerca de la oficina de Guglielmini.

—Listo —dijo Juan.

Fueron hasta la carpa. Juan se puso una vieja campera de cuero mientras Morán metía cuatro cartuchos de dinamita, una caja de fósforos y un ovillo de hilo en una bolsa de plástico. Juan la acomodó dentro de la campera, contra la barriga. Tendió la mano a cada uno de los hombres y salió. Dejó que la lluvia le corriera por la cara hasta despejarse por completo. Levantó los ojos y vio el cielo negro. De vez en cuando algún relámpago le permitía distinguir las nubes. De golpe se paró, se tocó la cintura y los bolsillos y puteó. A trancos largos volvió a la carpa.

—Me dejé el bufoso —dijo.

Morán le alcanzó su revólver. Juan lo puso en el bolsillo de la campera. Salió de la plaza, dio una vuelta a la manzana y apareció en la esquina del municipio. Se metió entre la gente que se amontonaba para ver el incendio, apenas protegida por paraguas o por diarios. Llegó frente al camión de bomberos y se detuvo un instante. Oyó que alguien lo llamaba. Se dio vuelta. Una mujer le alcanzó la bolsa de plástico.

—Se le cayó —dijo.

—Gracias —contestó Juan. Guardó el paquete apretándolo con el cinturón y siguió su camino. Cuando llegó a la calle que daba a los fondos del banco, avanzó muy cerca de la pared. Vio a un civil que dormía dentro de un auto; por la ventana asomaba el caño de una escopeta. Juan miró a los costados. La calle estaba vacía. Se deslizó suavemente hacia la puerta del coche contra la que roncaba con la boca abierta el joven de la escopeta. Con un movimiento rápido sacó el revólver y se lo apoyó contra los dientes. Después empujó el caño que entró hasta la garganta. El muchacho dio un respingo.

—Suelte la escopeta, pendejo. ¡Vamos!

El civil dejó caer el arma al piso del auto. Juan se apartó un poco y abrió la puerta.

—¡Abajo!

El muchacho tropezó al salir. Juan le apuntó el revólver a la cabeza.

—Sin jugar, tranquilo.

—Si me tocás te van a cortar en pedacitos, sorete.

—No me digas —dijo Juan—. ¿Son muchos?

—Bastantes para vos.

—Bueno. Te quedás quietito ahí.

Juan retrocedió hasta el auto. Sin dejar de apuntar tanteó en el piso hasta encontrar la escopeta. La levantó y se la mostró.

—Sin esto sos una mierda. No valés nada.

El otro empezó a reír forzadamente.

—Tirá los fierros y vamos a ver quién es más.

—No, mi viejo. El que tiene esto manda —le apretó el revólver en la barriga.

El civil lo miró fijo. Escupió las palabras:

—Comunista de mierda.

Juan le pegó con el revólver en el mentón. El muchacho vaciló y se llevó las manos a la cara. Juan lo golpeó en la cabeza y dejó que se fuera lentamente hacia adelante. Después se agachó y lo palpó con cuidado. Encontró una chapa en un bolsillo del pantalón.

—Cana —dijo en voz baja—. Son canas.

Un balazo dio en la pared. Juan se arrojó al suelo y tiró hacia cualquier parte. Se dio cuenta de que se había quedado demasiado tiempo allí. Empezó a arrastrarse hasta el auto para refugiarse. Otro disparo sacó chispas del pavimento y un polvillo caliente le salpicó la cara. Durante un minuto Juan se apretó contra el suelo, moviendo apenas la cabeza en busca de su atacante. Una ráfaga de ametralladora barrió la calle.

—Son dos, carajo —se dijo en voz alta.

El muchacho al que había golpeado empezó a incorporarse. Juan no se movió. Apenas levantaba el revólver del suelo para impedir que lo alcanzara el agua que corría por la calle. El civil estaba de pie, tambaleante. Otro tiro entró por la puerta del auto.

—¡No tiren! —gritó el muchacho—. ¡Soy Raúl, no tiren!

No había visto a Juan. Cuando escuchó otro tableteo se arrojó contra el auto, golpeó el cuerpo sobre el capó y se dejó caer de rodillas. Juan le puso el revólver en la nuca.

—Otra vez yo, pendejo.

Raúl no miró. Le bastaba con la voz.

—De ésta no salís vivo —dijo, y tosió.

—Ni yo ni vos —dijo Juan—. Parate.

—Estás loco.

—Parate te digo.

Con una rodilla le pegó en la espalda. El joven empezó a pararse con las manos en alto. Gritó:

—¡Soy Raúl! ¡No tiren!

Juan se apretó contra su espalda mientras le apoyaba el revólver en la sien. Lo empujó hacia la vereda del banco. Caminaron cuatro pasos y tronó un fusil. Raúl se dobló. Juan sintió en el pecho un golpe amortiguado que lo dejó sin aliento un instante. Acompañó el cuerpo inmóvil hasta el suelo. Miró hacia los techos. Agachado, corrió hacia el jardín de la casa vecina al banco. Una bala silbó cerca. Se tiró detrás de la pared baja y miró la casa. La entrada para autos llegaba hasta el fondo. Avanzó. Cuando llegó al patio observó la pared lindera. Tenía que saltar por ella para llegar al banco. Por el momento estaba a cubierto de su atacante. Respiró y miró su reloj. Eran las cuatro y veinticinco. Puso las manos en el borde del tapial, flexionó y apoyándose con las puntas de los pies, trepó. Desde allí montó al techo del banco. A lo alto veía el fuego y las luces mientras el viento y la lluvia lo atropellaban. Fue hasta el tanque de agua y encontró la claraboya. Adentro había luz. Abrió el paquete, sacó el atado de cartuchos y protegiéndolo con su cuerpo encendió las mechas. Con el fósforo las ayudó a consumirse. Luego rompió el vidrio con el taco del zapato. En seguida oyó el motor del avión. Levantó la cabeza y lo buscó en el cielo negro.

—¡Cerviño! —gritó.

No podía ver a Torito, pero lo oía cada vez más cerca. El chisporroteo de las mechas le quemó un poco las manos. Rápidamente ató los cartuchos con el hilo y los dejó caer por la claraboya. El avión rugía encima suyo. Levantó los brazos.

—¡Cerviño, carajo!

Un vaho nauseabundo inundó el aire. Juan sintió algo más que agua corriéndole por la cara. Se pasó la mano y la olió. Hizo una mueca de asco.

—¡Mierda, Cerviño, los estás cagando! —gritó y lanzó una carcajada.

—Ya me voy a ocupar de vos —dijo el civil.

Tenía en la mano derecha una cadena con la que había golpeado al sargento García en la espalda. El viejo uniforme del policía estaba mojado y roto. Entre las solapas de la chaqueta desprendida asomaba la camisa sucia y pegoteada. Otro golpe le había dejado una pequeña herida sobre la frente. Apoyó las manos en la pared y se deslizó al suelo. La cabeza se le volcó hacia adelante y unas gotas oscuras cayeron al piso desde la herida. Le pareció que tendría alguna costilla quebrada. Esperaba otro golpe. Se dio vuelta para mirar al civil, pero éste ya no estaba allí. Oyó el cerrojo del calabozo; levantó la vista y lo vio afuera de la celda, quitándose la camisa. El muchacho había sacado ropas secas del armario donde los vigilantes guardaban sus cosas. Se vistió y guardó la cadena y un revólver en el bolsillo del saco. Después desapareció por un pasillo.

García no se animó a moverse hasta mucho después. Por fin, cuando estuvo seguro de que se había quedado solo en el cuartel de policía, empezó a levantarse. Apoyó las manos en la pared y se fue incorporando hasta quedar de pie. Lentamente caminó hasta la litera y se tiró sobre la cama de abajo. Era muy dura. Recordó las veces que se había negado a darle un colchón a Juan. Pensó, también, en aquella noche que se había divertido mojando con la manguera al loco Peláez. Nunca imaginó que alguna vez él mismo estaría en el calabozo. Se quedó quieto un rato para evitar las puntadas en la espalda y sin darse cuenta se durmió. Lo despertó una voz.

—¡Che, García!

Abrió los ojos y sin moverse buscó con la mirada. El calabozo y los pasillos seguían desiertos.

—¡Acá, che!

Miró la pequeña ventana que daba al patio. Entre los barrotes vio la cara de Morán.

—¿Qué hacés ahí? —dijo el sargento.

Morán pasó un envoltorio negro entre los barrotes.

—Tirate al suelo que voy a reventar la pared.

—Me vas a matar, carajo.

—Llevate la catrera a la otra pared y tirate abajo, bien pegado al suelo.

—No, che, que se me va a caer el techo encima.

—Voy a poner un cartucho solo. Apurate.

García se levantó y empezó a arrastrar la litera. La acomodó contra la pared y luego se quedó parado observando a Morán. El muchacho estaba atando el cartucho a un barrote. Después pasó los fósforos al policía.

—Prendelo vos que acá llueve mucho.

García tomó los fósforos. Encendió uno que se apagó luego del primer fogonazo.

—Metele —dijo Morán en voz baja.

Nervioso, García encendió otro.

—Cuando se abra el boquete saltás y salís al patio. Por acá podés ir a la calle. Reunite con la gente en la plaza.

—Si salgo vivo. Esperame por las dudas.

—No puedo —dijo Morán—. Tengo que meter otro cartucho.

—Está bien, andá. ¿Sabés dónde está Ignacio?

—No. Por ahí lo mataron.

—Hijos de puta —murmuró García.

—Metele que si no te la van a dar a vos también.

Morán saltó y desapareció de la vista del sargento. El fósforo encendido le quemó los dedos y el policía lo soltó. Apretó los dientes y prendió otro. Lo acercó a la mecha y la vio arder con chispazos amarillos. Se quedó un momento mirando y luego se metió bajo la litera. Apretó la cara contra el piso frío. Contuvo la respiración. Cuando acercaba las manos a los oídos para protegerse de la explosión, escuchó ruido de pasos frente a la puerta del calabozo.

—¿Qué mierda hacés ahí abajo, García? —dijo una voz joven.

El sargento se quedó en silencio.

—¡Salí de ahí o te cago a tiros! —era el civil que lo había golpeado con la cadena.

—Estoy durmiendo —dijo García.

Oyó el ruido del seguro de una pistola. Encogió el cuerpo y se tapó los oídos esperando el disparo. Entonces, la explosión le arrastró los brazos y lo levantó del suelo. Le pareció que todo se revolvía dentro de su cuerpo. Sobre su espalda cayó un pesado bloque y lo inmovilizó. Hizo un esfuerzo y consiguió zafarse. Se pasó una mano sobre los ojos cerrados. Empezó a abrirlos lentamente y se arrastró a ciegas. La polvareda lo envolvía. Vagamente oyó un estampido y se apretó nuevamente contra el piso. Por fin, se levantó sobre las rodillas. Hubo otro estallido seco y su brazo izquierdo salió impulsado hacia atrás. Durante un momento dejó de sentirlo. Apoyó la mano derecha sobre un trozo de mampostería que se había arrancado de la pared y consiguió ponerse de pie. El polvo se iba por un enorme agujero que se abría hacia la noche. Miró a su alrededor y vio al civil en el pasillo, caído junto a la reja retorcida que había sido puerta del calabozo. Todo el piso estaba cubierto de ladrillos y cal seca.

—Negro mugriento —dijo el civil, y volvió a disparar. El tiro se perdió en alguna parte.

—¡Andate a la puta que te parió! —gritó García. Le salió un grito agudo, desesperado. El muchacho apenas podía sostener la pistola que colgaba floja de su

103

mano derecha. García quiso levantar un trozo de mampostería para arrojársela, pero le dolió la espalda. Trastabilló y sin proponérselo quedó parado frente al civil. Este intentó levantar el arma, pero ya le pesaba demasiado. García le pegó una patada en la cara. El cuerpo del muchacho se planchó contra el suelo. El sargento perdió el equilibrio y cayó de espaldas. Recién entonces pudo escuchar con claridad el ruido de la lluvia. Por el pasillo, alguien corría. Tomó la pistola del muchacho y apuntó a la entrada del corredor. Cuando apareció el primero, tiró. La camisa del hombre se llenó de sangre. Quiso agarrarse de la pared pero cayó hacia adelante, cerca de García. El que corría atrás disparó a ciegas. El sargento apretó otra vez el gatillo y vio que el muchacho no tendría más de veinte años. Su cara se deformó en seguida. Se llevó las manos al sexo y cayó. El sargento se puso de pie. Sentía que todo daba vueltas a su alrededor. Caminó hacia el boquete y saltó. Cayó con todo el cuerpo sobre un charco de agua y dejó que su cara se hundiera un momento. Tosió, se pasó la mano izquierda sobre la boca y sintió como si un cuchillo le desgarrara el antebrazo. Se levantó, tropezó y volvió a enderezarse.

—Mi negra —dijo—. Qué va a decir mi negra.

El jefe de bomberos vio una sombra enorme y confusa que se le venía encima y se tiró al suelo. La manguera escapó de sus manos y viboreó por la calle lanzando el chorro contra los curiosos que empezaron a correr. El ruido del avión fue como un trueno y todo se puso negro por un instante. Un olor amargo lo contaminó todo. La gente corría a refugiarse. Dos mujeres cayeron al suelo; un chico tropezó con el cuerpo de una de ellas y también cayó. Algunos de los que venían detrás consiguieron pasarles por encima, pero otros se derrumbaron y empezó a formarse una pila de piernas y brazos que se agitaban. Un hombre grande como una puerta esquivó la montaña de gente justo en el momento que el jefe de bomberos intentaba incorporarse. La rodilla del gigante le dio en el pecho y lo acostó otra vez. Luego, cuatro pares de zapatos le pisotearon el uniforme. El bombero sintió crujir una costilla y boqueó, pero en su garganta sólo entró agua. Sus ayudantes habían desaparecido arrastrados por el desborde. Los que estaban más cerca de las veredas se metieron en los zaguanes y jardines e invadieron las casas. Dos minutos más tarde, el avión estaba lejos y la calle quedó sembrada de cuerpos que reptaban o hacían absurdas piruetas antes de caer. Sobre los lamentos se escucharon varias explosiones. El jefe de bomberos se arrastró hasta la vereda. El incendio, pese a la lluvia, era cada vez más robusto y rojo. Dolorido, el bombero se dio vuelta y miró el cielo. Sacó un pañuelo mojado y se lo pasó por la cara.

—¡Sargento Luis! —gritó.

Escuchó una voz débil. Luego un quejido que se arrastraba hacia él.

—Herido en cumplimiento del deber —balbuceó el sargento Luis.

—Más incendios —dijo el jefe.

El sargento miró hacia arriba. Todo el cielo ardía.

—Ataque aéreo —dijo.

El jefe trató de tomar un poco de aire. El pecho y las piernas le dolían como si lo hubieran triturado.

—Sargento.

—Mande, jefe.

—¿Puede moverse?

—Creo que sí.

—Haga sonar la sirena de la autobomba.

El sargento se levantó y caminó tambaleándose hasta el camión. En la esquina apareció un hombre pequeño, vestido con uniforme, que corría resbalando por la calle.

—¡Jefe! ¡Volaron el cuartel, jefe! —gritó antes de dar una voltereta y caer contra el cordón de la vereda. El hombrecito empezó a arrastrarse sobre el pavimento hacia donde estaba su jefe.

—¡Una bomba! —dijo—. ¡Nos pusieron una bomba!

La sirena del camión empezó a sonar sobre los otros ruidos y apagó la voz del recién llegado. El sargento trató de ir hacia su compañero para ayudarlo a cruzar, pero el pavimento estaba demasiado resbaladizo. Dio cuatro o cinco pasos y se quedó en el mismo lugar. Un Peugeot dio vuelta en la esquina a toda marcha. Las gomas traseras patinaron y se fue de costado. Las ruedas de la izquierda pasaron sobre la espalda del bombero. Con el paragolpes levantó al sargento por el aire y el cuerpo aterrizó junto al del jefe que miraba la escena. El auto, sin control, se estrelló contra la autobomba y explotó. El fuego alcanzó rápidamente al camión de los bomberos. Un hombre salió despedido del auto y cayó con los brazos abiertos. El cuerpo rígido se deslizó suavemente sobre la calle. De una mano se le escapó la pistola.

El jefe de bomberos empezó a llorar. Se arrastró hasta el cuerpo del caído y tomó la pistola. Se sentó y miró los techos. Todo era rojo y las casas crujían como papel celofán en manos de un chico. Se acercó el arma a la nariz. Apestaba.

—Dios los proteja —dijo.

Se llevó la pistola a la sien derecha y apretó el gatillo.

Cuando soltó la carga, Torito se alivió. Dejó de vibrar y respondió dócil al mando de Cerviño. Al salir del callejón de luces, mientras el piloto gritaba jubiloso, arrancó un cable telefónico con el timón. El avión vaciló un momento, pero luego ganó altura y enfiló hacia el campo. Cerviño silbaba una canción de Palito Ortega. Se sentía bien. Ahora quería regresar al pueblo en bicicleta y ver lo que había ocurrido mientras Torito y él estaban en el aire. Modificó el rumbo y se dirigió hacia el terreno de aterrizaje. Empezó a descender suavemente. Con los ojos buscaba las luces del galpón que había dejado encendidas. Las vio a lo lejos. Dejó que Torito planeara y calculó la distancia que había entre el comienzo de la pista y el alambrado. Sabía que el suelo era un charco resbaladizo. Miró la luz del galpón, aceleró el motor y enderezó el timón. Sonrió. Siempre había pensado que fumigar era poca cosa para Torito. A cien metros del piso se dio cuenta que el ruido del motor no lo dejaba soñar. Giró la llave de contacto y lo silenció. Escuchó el viento y la lluvia sobre el fuselaje.

—Gracias, hermano —dijo, y sacudió el comando del avión.

Las ruedas de Torito tocaron la tierra hundiéndose en el barro hasta detenerse frente a la puerta del galpón. Dentro, un auto encendió sus faros y Cerviño quedó encandilado.

Juan saltó al patio y mientras corría hacia la puerta de la casa oyó la explosión. Le pareció que todo a su alrededor temblaba. Se arrojó al suelo y se dio vuelta para ver cómo la pared por la que había bajado terminaba de desmoronarse. La lluvia barría el polvo que se levantaba desde el edificio del banco. Se puso de pie y dejó que el agua también lo limpiara a él. Abrió la campera y el torrente le bañó el pecho como una ducha fría. Se sentía bien, con la cabeza despejada y el cuerpo nuevo como si hubiera dormido cien horas; sonrió y caminó hacia la salida. Cuando estaba cruzando el jardín vio a un hombre agacharse detrás de un viejo Dodge estacionado en la vereda opuesta.

Volvió a tirarse al suelo y sacó el revólver. Esperó un rato. El hombre escondido no daba ninguna señal. Se arrastró hasta la pared de la entrada y se asomó con el arma lista para disparar. Empezaba a impacientarse. Decidió, por fin, pasar a la casa vecina. Avanzó sigilosamente, ocultándose entre las flores y empezó a incorporarse lentamente. Se tomó del borde de la pared para saltar cuando sonó el balazo. El impacto arrancó un ladrillo a veinte centímetros de donde tenía apoyadas las manos. Se dejó caer al suelo y se quedó quieto. Oyó un ruido cercano, amenazante. Se dijo que debía saltar la pared. Tensó los músculos, dio un salto, tocó apenas el muro de la medianera con las manos y cayó boca abajo en el jardín vecino.

—Quieto. Quedate quieto y largá el revólver.

Se sintió estúpido; no debió haber salido nunca por el mismo lugar por el que había entrado.

Tiró el revólver. Calculó que quien le apuntaba estaría escondido detrás de la pared baja que daba a la vereda.

—Date vuelta y levantá bien las manos.

Le pareció una voz conocida; el corazón empezó a latirle con más fuerza. Dijo:

—No serás vos, cabo hijo de puta, que casi me arrancás la cabeza de un chumbazo…

—¡Juan! ¡Juan, negro 'e mierda! ¡Casi te dejo seco, carajo!

Se enfrentaron un momento, como para reconocerse bajo la lluvia, entre las sombras. Después se apretaron en un abrazo largo.

—¡Negro e mierda!

—¡Milico jetón!

Juan palmeó con fuerza el brazo herido de su compañero. El sargento dio un salto.

—Guarda, negro, que me la dieron.

—Dejame ver.

—No me jodas, si no es nada.

Juan empezó a reírse.

—Todavía andás peleando…

—Y no.

—Bueno, cabo, acá me tenés. Ahora lo buscamos a Cerviño y entre los tres no vamos a dejar un gorila sano.

—Vamos —García lo miró con una sonrisa—. Desde ahora decime sargento, che.

Cuando los vidrios de la claraboya se rompieron, Reinaldo estaba sentado en el inodoro. Le hubiera gustado dormirse, pero los gritos de Ignacio, que llegaban desde la oficina, lo habían puesto nervioso. La paliza que los civiles dieron al delegado lo había divertido un rato. Pero cuando uno de ellos calentó un alambre en la cocina y lo apretó sobre los ojos de Ignacio, había sentido súbitamente que los intestinos se le revolvían y tuvo que correr al baño.

Trataba de tranquilizarse cuando los vidrios rotos cayeron frente a él. Por el agujero empezó a entrar un remolino de viento y agua que mojó el piso y las paredes. Reinaldo sintió otro tirón en la barriga. Se contrajo y trató de ayudarse apretando las manos bajo el ombligo. Sudaba. Miró su ropa caída sobre los zapatos, al pie del inodoro; estaba pegoteada de barro y despedía un olor repugnante. Le hubiera gustado estar en su casa, bajo la ducha. No comprendía exactamente cómo habían pasado las cosas desde el momento en que decidieron librarse de Ignacio hasta que mataron a Guzmán y a Mateo. Y la llegada del avión, que había enredado todo. Se preguntaba cuándo terminaría esa pesadilla. Al otro lado de la pared, Ignacio se quejaba y sus gritos le hacían nudos en las tripas. Escuchó ruidos sobre el techo, pero no podía saber qué pasaba allí. Vio que desde la claraboya aparecía un bulto. Las mechas ardían con ruido de paja consumida por el incendio. Los intestinos de Reinaldo crujieron estrepitosamente. A un metro y medio de su cara, el paquete de cartuchos oscilaba como un péndulo. Estiró los brazos en un intento por atraparlo, pero se le escapó por centímetros. Gritó, pero su voz se confundió con la de Ignacio, que se prolongó por unos instantes más. Vio como las mechas se consumían a todo fuego; pensó que la única manera sería alcanzar los cartuchos y arrojarlos al inodoro. Se puso de pie con un impulso desesperado, pero sus piernas estaban enlazadas por el pantalón y el calzoncillo. Cayó hacia adelante y su cabeza golpeó contra el borde del lavatorio. Estaba en el suelo, bajo la llovizna que entraba por el hueco, mientras las mechas se agotaban frente a su cara. El golpe lo dejó mareado, pero juntó todas sus fuerzas. Se apoyó en el lavatorio, consiguió ponerse de pie y atrapar los cartuchos. Le quemaban las manos. Gimió y se precipitó sobre el inodoro.

Ignacio dejó de respirar un momento antes de la explosión. Suprino había apoyado una oreja sobre el pecho descubierto del delegado y los demás estaban pendientes de sus gestos. Guglielmini se había levantado del sillón donde había estado tendido. Uno de los muchachos sostenía aún el alambre con la punta candente. El otro tenía un cigarrillo apagado entre los labios y el sueño le cerraba los ojos.

La pared del baño se arrancó de su cimiento y escupió los ladrillos como cañonazos. Una parte del techo se desplomó de golpe, sin que nadie tuviera tiempo de darse cuenta. Guglielmini se desparramó otra vez sobre el sillón, golpeado en el pecho por un ladrillo. Sufrió un largo ahogo pero pudo ver cómo los dos muchachos desaparecían bajo la mampostería del techo. Sobre el cuerpo de Ignacio cayeron gruesos cascotes, pero el delegado ya no podía moverse. Suprino rodó hasta la pared opuesta, impulsado por la onda del estallido. La confusión no duró mucho tiempo. Guglielmini se puso de pie y entre la polvareda corrió hacia la salida del edificio. El Peugeot de la intendencia de Tandil estaba detenido en la calle. Se acomodó en el asiento, frente al volante y vio que las llaves estaban puestas. Esperó un momento a que sus músculos se relajaran un poco.

Suprino empezó a levantarse. Miró a su alrededor. Bajo la losa del techo caído asomaban las piernas de un hombre. Caminó entre los escombros observando perplejo las consecuencias del desastre. La grotesca figura de Reinaldo tenía los brazos cruzados sobre el pecho como si apretara algo, pero le faltaban las manos. Junto a él estaba volcado el inodoro, sucio y partido por la mitad. Miró toda la habitación y se dio cuenta de que Guglielmini no estaba allí. Corrió hacia la caja fuerte del banco y la encontró volcada en el piso. Tironeó de la puerta, pero advirtió, con rabia, que la explosión no la había afectado. Salió a la calle. Guglielmini estaba dentro del auto. Suprino se sentó junto a él.

—No se asuste —dijo—. Todavía nos queda una carta que no puede perder.

—No quiero más —contestó Guglielmini—. Para mí es demasiado. Tenemos que salir de acá, irnos del país.

—No va a ser fácil irse. Déjeme hacer a mí.

—¿Qué piensa hacer ahora?

—Jugar la única que nos queda.

Guglielmini lo miró. Suprino parecía tranquilo aún.

—El ejército —dijo.

Las luces del auto iluminaron el cuerpo gris de Torito. Los faros arrojaban haces de luz que barrían el campo de avena y destacaban nítidamente los hilos de la lluvia. Cerviño se quedó quieto en el asiento. Comprendió que cualquier maniobra sería inútil. Dos civiles le apuntaban con pistolas y otro con una escopeta. Se refugiaban bajo el techo del galpón. El que tenía la escopeta gritó:

—¡Levantá las manos y bajá!

Cerviño no tenía ganas de moverse. El repiqueteo de la lluvia, la tibieza de la cabina y los tragos de ginebra lo habían puesto alegre.

—¡Vayansé a la puta que los parió!

Se inclinó y levantó la botella. El movimiento inquietó a los civiles.

—Sacalo, Tito —ordenó el de la escopeta.

El joven levantó la pistola, apuntó a la cabeza del piloto y se acercó. Estaba mojado, pero lo molestó que la lluvia le corriera otra vez por el cuello. Abrió la puerta del avión.

—Bajá, vamos.

Cerviño escondió la botella. El muchacho hizo un gesto urgiéndolo a salir.

—¿Ensucié el pueblo? —preguntó Cerviño.

—No te hagás el piola que acá se te acabó la cuerda, payaso. ¡Bajá!

—No. Si me van a matar es mejor acá, que no llueve.

—¿Quién te mandó? —preguntó el muchacho.

—Nadie.

—¡Quién!

—No recibo órdenes, viejo. Nunca. Por eso ando siempre por allá —señaló el cielo.

—¿Por qué lo defendés?

—A quién.

—Al coso ése. Al delegado.

—Porque es peronista y porque es buen tipo.

—Vos y quién más.

—Torito.

—¿Dónde está?

—Acá —golpeó el tablero del avión—. ¡El viejo Torito! Cinco mil horas arriba y ni tos tiene.

—Sos un boludo, negro, hacerte matar al pedo.

—¿Al pedo? —Cerviño miró al muchacho, que no tendría más de veinticinco años—. ¿Vos sos de la capital?

—Ajá.

—¿Te pagan mucho?

El joven estaba completamente empapado. Oyó que su jefe lo llamaba.

—Mejor que a vos —dijo.

—Pendejo gorilón.

115

—Ojo con lo que decís.

—"Niño bien, pretencioso y engrupido" —canturreó Cerviño.

—Callate, negro de mierda; vos no me vas a enseñar a ser peronista.

Cerviño lo miró sin entender. Empezó a reír. Levantó la botella y tomó otro trago.

—¡Vamos, Tito! —gritó uno de los jóvenes que esperaban.

—No ves que te usaron, cabecita. Nunca vas a entender nada —dijo el muchacho y tiró el percutor de la pistola.

—Ni falta me hace. Si vos sos peronista yo me borro.

—No vas a tener tiempo porque yo te voy a borrar antes.

—Pendejo maricón. Sos macho con un chumbo en la mano. Pero ni así sirven los tipos como vos.

Tito le pegó con la pistola en la cara. Cerviño empezó a perder sangre por un ojo. El muchacho retrocedió hasta donde estaban sus compañeros.

—No sale —dijo.

—A la mierda con él —dijo el de la escopeta. Dio un paso adelante y apretó el gatillo. El vidrio del avión saltó en pedazos. Cerviño cayó hacia atrás. Tito le tiró con la pistola. El cuerpo se agitó y volvió sobre el tablero. La lluvia limpió la sangre que corría sobre la trompa de Torito. Los cuatro hombres subieron al auto y Tito lo puso en marcha. Fueron hacia el camino.

116

Cerviño sentía que la llama de un soplete le quemaba la cara. No podía ver. Con un brazo buscó la botella, pero no tuvo fuerza para levantarla.

—Hay que ir a buscar a Cerviño —dijo Juan—. En la plaza debe haber alguna bicicleta.

Caminaron apretando los cuerpos contra las paredes húmedas. Vigilaban los techos, pero todo el pueblo parecía vacío. Juan se dio cuenta de que amanecía. Primero pensó que el rojo del cielo era un reflejo del fuego, pero después vio que al final de la calle, donde empezaba el campo, el horizonte parecía arder. La lluvia era más suave y las nubes empezaban a abrirse. Calculó que serían las seis de la mañana.

Cuando llegaron a la esquina de la plaza se detuvieron. Juan empujó a García hacia una mata de yuyos que crecía en la vereda, frente a una vieja casa. El sargento miró a su alrededor y cuando aspiró profundamente el aire se sintió mejor.

—Puta che, qué bien vendría un traguito.

Juan levantó la cabeza hacia el cielo.

—Ajá. ¿Te duele el brazo, sargento?

—No es nada. Un rajuñón, nomás.

Cruzaron la calle corriendo y llegaron al sendero de baldosas de la plaza. Saltaron sobre un cantero de claveles. Desde un árbol un hombre los siguió con la mirada y con el caño de la escopeta. Caminaron sobre el césped, entre las magnolias, hacia una pequeña carpa. Adentro, alumbrados por un farol a querosene, había cinco hombres. Entre ellos estaba el que Juan había conocido antes. Al verlos entrar, se puso de pie.

—¿Quién es el compañero? —preguntó.

—Sargento García —dijo el policía, y le tendió la mano.

—Defendió la municipalidad con Ignacio —contó Juan—. Los agarraron juntos.

—Claro —dijo el hombre—. Mandamos a Morán para que lo sacara de la cárcel.

Lo miró y le dedicó una sonrisa. Después señaló el brazo del sargento.

—Está herido. Sáquese la ropa y déjeme ver eso, compañero.

García no se movió.

—¿Dónde está don Ignacio? —preguntó.

—Está muerto —dijo el hombre.

—¿Muerto?

—Lo torturaron hasta matarlo.

—¿Usted lo vio? —preguntó Juan, ansioso.

—Sí. Estaba entre los escombros del banco, donde usted puso la dinamita.

—Puta…, pobre Ignacio —dijo el sargento—. ¿Lo enterraron?

—No hay tiempo para eso, compañero. Tenemos que retirarnos.

—¿Retirarnos? —preguntó Juan—. ¿Por qué vamos a retirarnos si los tenemos con el culo a cuatro manos?

—Vienen el ejército y la policía federal.

—No nos vamos a escapar ahora —dijo el sargento.

—No nos escapamos.

—¿Ah no? Si usted corre para atrás, ¿qué es?

El hombre sonrió. Se hizo un silencio prolongado. Juan pidió un cigarrillo negro. Pensaba. Otro hombre entró en la carpa y se dirigió al jefe.

—Tenemos a Rossi —dijo.

—Bueno. Llévenlo con Llanos.

El hombre salió. García miró al jefe.

—¿Ustedes tienen al comisario? —dijo.

—Sí. Y ahora también a Rossi. El mató al empleado, a Mateo.

—¿Se los van a llevar con ustedes? —preguntó Juan.

—Van a ser juzgados.

Juan miró al jefe durante un rato.

—¿Para qué? —dijo.

—¿Para qué qué?

—Para qué van a juzgarlos. Ellos empezaron la joda. Mataron a Ignacio, a Mateo, a Moyanito, al loco. ¿Para qué va a dárselos al juez? Los juicios no son buenos en la capital, van a salir en una semana…

—No van a juzgarlos en la capital, compañero. Vamos a juzgarlos nosotros. Ustedes y nosotros. Los compañeros de los hombres que ellos mataron.

—Yo no sé de eso —dijo García.

El jefe lo miró y volvió a sonreír.

—No hay que saber —dijo—. Eso no se aprende es-

119

tudiando. Cuando usted ha matado y ha visto morir ya lo sabe todo.

García bajó la cabeza. El hombre preguntó:

—¿Qué haría usted con ellos?

El sargento tenía los ojos hinchados y la cara reseca.

—Yo no sirvo para andar en esas cosas —dijo—. No sé discutir de leyes.

—No vamos a discutir de leyes. Las leyes del comisario, de Suprino, del oficial Rossi. Nosotros tenemos ahora nuestra ley.

—No sé —dijo García, mientras se pasaba la manga de la chaqueta por los ojos—. Yo digo que al hijo de puta que mata como ellos mataron a Ignacio...

Se quedó en silencio. Los miró a todos esperando que alguien lo dijera por él. Nadie habló; García bajó la cabeza y agregó en voz más baja:

—A un cabrón así hay que cagarlo a tiros.

Empezó a quitarse la chaqueta. Se dio vuelta y miró a Juan, que fumaba lentamente su cigarrillo. Lo vio asentir en silencio.

—Conseguime otra camisa, ¿querés, Juan? —dijo García—. Se me pegoteó la sangre y me está molestando un poco la lastimadura.

Suprino manejaba demasiado rápido sobre la ruta resbaladiza. A su lado, Guglielmini estaba echado en el asiento. Parecía abatido. Le habían dado órdenes precisas y no pudo cumplirlas. La situación había escapado a su control y suponía que ya era demasiado tarde. Sentía que Suprino se apoderaba incluso de sus últimas decisiones. Quiso encender un cigarrillo, pero no tenía fósforos. De vez en cuando miraba de reojo al secretario del partido. Suprino parecía decidido, seguro de lo que iba a hacer. El sabría entenderse con los militares, conocía a algunos de ellos. El problema sería cómo pasarles un paquete tan delicado.

—No te van a creer lo de los comunistas —dijo.

Suprino siguió un rato en silencio. Luego sonrió.

—Ni falta hace que se los diga. Para ellos, cuando un tipo como Ignacio saca una escopeta es como si se les apareciera el diablo. Y a los milicos no les gusta que la gente ande cagándose a tiros sin permiso. Ese es asunto para ellos.

—¿Y Perón?

—¿Perón qué?

—Nos va a quemar. Estamos listos, mejor nos borramos.

Suprino estacionó el coche en la banquina. Apenas llovía y el sol se filtraba entre los abiertos nubarrones. Miró al intendente. No podía ir con él al comando del ejército. Estaba demasiado asustado y era un débil. Un politiquero flojo. Encendió la radio. Un boletín especial informó sobre los sucesos en Colonia Vela. La policía federal había enviado tropas para restaurar el orden alterado por elementos extremistas alentados por el delegado municipal. Las últimas informaciones señalaban que habría un muerto.

—¡Un muerto! —Suprino no pudo contener una carcajada—. ¡Tu amigo se va a querer cortar las bolas!

El intendente tardó un instante en comprender.

—¿Quién?

—Tu amigo. El asesor de Perón.

En la radio cantaba Gardel.

—¿Y vos? ¿Qué les vas a vender a los milicos?

Suprino lo miró. Pensó otra vez que Guglielmini era un idiota.

—Nada, no necesito venderles nada. Ellos tienen que meterse a la fuerza. No les queda más remedio. Detrás de la Federal van ellos.

—Está bien. Yo no quiero saber más nada. Hacé tu juego.

—Me vas a vender cuando veamos a los milicos.

—No, Suprino. Yo me rajo; vos hacé lo que quieras.

El secretario del partido sacó una pistola.

—Salí.

—¿Qué te pasa?

—Salí afuera te digo.

—Estás loco.

Suprino saltó fuera del auto, dio vuelta por delante y abrió la puerta de Guglielmini. El intendente extendió un brazo para defenderse y se aferró con la otra mano al volante. Suprino le pegó un puñetazo en la cara y Guglielmini se aflojó sobre el asiento. Suprino lo tomó de los cabellos y lo arrastró hacia afuera. El intendente cayó sobre la banquina.

Suprino puso la pistola sobre la cabeza del intendente y disparó. Guglielmini arqueó el cuerpo y se quedó quieto. Suprino lo empujó con un pie hasta la cuneta y lo arrojó a una zanja, entre los yuyos. El cuerpo quedó sumergido entre el agua y el barro. Suprino volvió al coche, salió a la ruta y aceleró. Ahora, en la radio cantaba Rivero. El secretario del partido puso el auto a 140 kilómetros y sintió que el viento lo empujaba de costado. Estornudó. Pensó que iba a resfriarse. En el comando tendrían aspirinas.

Juan y el sargento García dejaron el camino pavimentado y avanzaron con dificultad entre el barro. Las ruedas de las bicicletas amontonaban tierra contra los guardabarros y los dos hombres debían forzar sus piernas para avanzar. El cielo tenía un tono rojo y azul por donde se filtraban los primeros rayos del sol. Había dejado de llover y las nubes eran blancas otra vez. Corría un suave viento del oeste. Las ropas mojadas se habían pegado a sus cuerpos. Sentían frío y no hablaban.

Desde la tranquera vieron a Torito. Tenía una puerta abierta que se agitaba con la brisa. La lámpara del galpón estaba encendida. Dejaron las bicicletas. Juan miró adentro y fue hacia el campo de avena que había servido de pista. Se acercó al avión seguido por García. Vieron el parabrisas destrozado y algunas chapas del fuselaje agujereadas. Juan quiso correr y resbaló. Al caer consiguió apoyar las palmas en el suelo. Su compañero lo ayudó a levantarse. Juan se quedó como clavado en la tierra, hundiéndose lentamente en el barro. Se llevó las manos a la cabeza.

—¡Lo mataron! ¡Hijos de puta! ¡Lo mataron!

Le salió un grito ronco. Cuando quiso avanzar estaba tan adherido al suelo que cayó de costado. Desde el avión le llegó una voz débil.

—Todavía no, hermano…

—¡Cerviño! —gritó Juan y se arrastró sin poder levantar los brazos ni las piernas del barro. García lo miraba desde su cara marrón asaltada por el dolor. Juan llegó hasta la puerta del avión.

—Alcanzame la botella, hermano. No veo nada —balbuceó Cerviño.

Tenía la cara abierta y roja de sangre. Los ojos habían desaparecido.

—Cerviño… ¿qué pasó, viejo?

El piloto se movió apoyando las manos en el tablero.

—Me esperaban…

Juan buscó la botella de ginebra. Quedaban apenas un par de tragos. La acercó a la cara de Cerviño. El piloto abrió el agujero donde había tenido la boca y tragó algo. A Juan le pareció que sonreía.

—Puta, che —dijo en voz baja.

—No te asustés —dijo Cerviño—. Más feo que antes no debo estar.

Su voz era un sonido hueco, desarticulado. Juan le dio otro trago.

—Los cagué, ¿no? —preguntó en un hilo de voz.

—Sí, hermano. Los hicimos mierda.

—¿Ganó Ignacio?

—Claro. ¿Te podés mover?

—No sé… estoy bien así. Tengo un poco de frío nomás…

—Te vamos a llevar al pueblo para que te curen.

—No, si estoy todo roto… Qué cagada morirse ahora…

—Pará, hermano, tengo la bicicleta. Te voy a llevar a la sala de guardia.

—Dame otro trago.

Juan miró la botella.

—No hay más, viejo. Aguantá hasta el pueblo y te compro un litro.

Intentó sacarlo del avión. Cerviño se quejó y cayó de costado.

—Dejame…, los hicimos mierda… ¿Estás ahí, Juan?

—Sí, hermano, sí.

—Decile a don Ignacio que me jugué por él…, que soy peronista y… que no les afloje… cuando el general lo sepa va a estar orgulloso…

El cuerpo se contrajo y quedó inmóvil. Juan le pasó suavemente la mano por el pelo oscuro. Se dio vuelta y miró a García con los ojos vidriosos.

—Ayudame —dijo.

Lo llevaron hasta el galpón. García buscó una lona y envolvieron el cuerpo. Salieron. El sol se veía entero en el horizonte. Juan miró a su amigo.

—No les vamos a aflojar —dijo.

Caminaron en silencio hasta el avión. Torito estaba inclinado, con una rueda hundida en la tierra y el viento lo hamacaba.

—¿Y contra quién vamos a pelear? —preguntó García.

—Dicen que viene el ejército. No vamos a rajarnos ahora, compadre.

—¿Sabés manejar el avión? —preguntó el sargento.

—No…, pero lo vi a Cerviño. Difícil no ha de ser.

Dieron una vuelta alrededor de Torito. El sol se reflejaba en las alas.

—Che, Juan.

—Qué.

—¿Vamos a ganar?

—Claro, si no valen para nada.

El sargento García sonrió.

—Y después lo vamos a buscar —dijo.

—¿A quién?

—A Perón. Lo vamos a traer.

—Estás loco, sargento.

—¿Loco? Le vamos a mostrar cómo quedó el pueblo, le vamos a contar de Ignacio, de Mateo, de Cerviño, de todos los que dieron la vida por él.

Juan miró a su compañero. Tenía los ojos hinchados y rojos.

—Cuando lo sepa se va a emocionar el viejo.

—Va a hablar desde el balcón del municipio y los milicos no van a saber dónde meterse del cagazo.

Se acercaron a la cabina de Torito. Antes de subir, Juan miró el sol y tuvo que cerrar los ojos.

—Va a ser un lindo día, sargento.

García se dio vuelta en dirección al pueblo y se quedó con la vista clavada en el horizonte. Tenía el rostro fatigado, pero la voz le salió alegre, limpia.

—Un día peronista —dijo.

Génesis y escritura de
No habrá más penas ni olvido

"De una primera novela como *Triste, solitario y final*, donde están todos mis fantasmas personales de la niñez y de la adolescencia, una cosa muy tierna por los amores que compartía con el lector, yo pasé a enfrentarme con los años 70, donde como novelista me encontré con una gran contradicción: ¿qué era eso de que Perón bautizara a peronistas que no lo eran y echara peronistas que sí lo son? De algún modo me las arreglé para escribir, al filo de esos años terribles, lo que terminaría siendo *No habrá más penas ni olvido*."

Entrevista con Carlos Ares, *La Maga*, mayo de 1992.

"Yo recuerdo una conversación que tuvimos caminando por Corrientes hasta Chacarita. En ese momento estaba Montoneros, la JP convocaba fuertemente a mucha gente. Hablamos sobre su actitud frente a eso, porque él se había dejado tentar por esa corriente. Les tenía una cierta simpatía, partiendo de una culpa anterior, ajena a él por razones generacionales, pero que él asumía como propia por haberse separado del pueblo. Después, con Isabel, con López Rega y la Triple A, asumiría la posición opuesta, digamos la ruptura. Porque el peronismo ya no era el pueblo sino esa cúpula malsana y perversa que representaba la Triple A."

José María Pasquini Durán, en el documental *Soriano*, de Eduardo Montes Bradley.

"Escribí *No habrá más penas ni olvido* en el 74. Y la escribí acá, aunque muchos creen que fue durante el exilio. Incluso hubo alguien que llegó a hacer un análisis de cómo se veían desde Europa los problemas argentinos… en fin. La escribí en un departamento de la calle Salguero. Era un momento difícil de mi vida porque en esos meses mi viejo se estaba muriendo. Yo estaba muy sensibilizado por lo que ocurría en el país. Era un gran disparate que nos desbordaba en todos los aspectos. De pronto vuelve Perón, y los peronistas viejos pasan a ser no peronistas por razones políticas. Todo esto, que tiene explicaciones políticas, a mí me parecía poéticamente siniestro. Y me pareció un material interesante para trabajar al reducirlo a un pequeño pueblito como Colonia Vela."

Entrevista con Daniel García Molt, 1987.

"En 1974 germina la idea de escribir *No habrá más penas ni olvido*. La presenta así, en una carta que me escribe: *Quiero intentar un modesto fresco de este clima atroz que negamos cada día. Mi vida tiene sentido si puedo terminar otra novela como quiero*. Cuando llega a Bruselas, donde pasará cinco o seis meses, a fines de 1975, trae el manuscrito en la valija. Es entonces cuando conoce a Catherine Brucher, que vivía en casa."

Félix Samoilovich, en el "Homenaje a Osvaldo
Soriano" de *La Maga*, septiembre de 1997.

"Cuando ningún editor se animó a publicarla, en 1975, y yo tuve que irme a Europa, me dediqué a pulirla en Bruselas. No tenía mucho más que hacer, así que la fui reescribiendo. Lo único nuevo que encontré fue la frase final, cuando después del desastre, uno de los personajes le dice al otro: *Qué hermoso día*, y el otro contesta: *Un día peronista*."

Entrevista con Sergio Kiernan,
La Semana, septiembre de 1987.

"Eduardo Galeano me dijo: *Hermanito, tomá los originales. ¿Ves ese cesto de papeles? Tiralos ahí. Que no se sepa que escribiste eso*. Yo estaba destruido. En ese momento pesaba mucho la mirada política. Unos meses después, cuando los editores no querían saber nada con la idea de que López Rega se enojara, aunque yo ya no me animaba a mostrársela a nadie, en un viaje a Europa —en el que uno puede dejar la novela y volverse— elegí al que yo sabía era el peor y más implacable crítico: Juan Gelman. En ese momento él estaba en Roma. Yo le pregunté si no podía echarle un vistazo a la novela. Gelman me dio una opinión totalmente contraria. Entonces le conté lo que había pasado con Galeano y Juan me dijo: *Mirá, Eduardo estaría en pedo*. Con eso empató. Luego vinieron los penales y la novela se salvó".

Entrevista con Miguel Russo,
La Maga, agosto de 1994.

"Querido Osvaldo: tardé en contestarte porque me era imposible leer tu novela; mi vida está estúpidamente llena de *prioridades*, algunas de ellas importantes, y tengo que someterme a un ritmo que va en contra de mis deseos. Tus comentarios sobre las últimas noticias agentinas contenían aún cierta esperanza con respecto a Paco Urondo. Creo que ya no podemos esperar nada; las versiones difieren pero coinciden en el hecho fatal. En cuanto a Conti, queda una remota duda de que aún esté vivo. Acabo de recibir carta de Daniel Moyano desde Madrid; menos mal que él pudo salir. Parece que Galeano ya está afuera (*Le Monde* dixit) y que Zito Lema se prepara para irse. Por lo demás, ya sabés las noticias. Control total y absoluto de la mass-media, y como contrapartida de eso y otras cosas, 500 millones de dólares dados por los yanquis y 50 por los franceses. El fascismo es un buen negocio, parece; y aunque yo no soy capaz de desesperarme del todo, creo que ni vos ni yo volveremos a la Argentina en mucho tiempo, y que mis amigos chilenos, uruguayos, etc. están en la misma situación. Nuestras eternas vacilaciones sudamericanas cosechan lo que sembraron; los otros no vacilan nunca, y cosechan mucho más.

"Leí de un tirón tu novela y eso en mí es siempre un primer balance favorable; sigo creyendo que un libro que *agarra* da ya la prueba de su calidad. Para un argentino, además, esa calidad es obvia y transparente: en pocas páginas has resumido el drama de estos años, y lo has hecho a tu manera, con esa rapidez que nunca es ligereza sino eliminación de lugares comunes y acotaciones innecesarias. Me sigue gustando más *Triste*, quizá porque reúne más recuerdos y querencias y nostalgias muy mías. Pero tu nuevo libro es digno del otro, y el único problema es el que vos mismo prevés en tu carta: a un editor francés no le va a gustar, o va a asimilarlo equivocadamente en una novela dura y de acción, cuando es mucho más que eso. Si *Triste* se publicara en francés, entonces cualquier editor comprendería mejor, pero darle a leer ésta para empujar *Triste* me parece un sistema condenado a fracasar. Ya ves que te lo digo sin rodeos, porque es lo que siempre hice y haré con vos en cualquier caso. Marie-Claude, a pesar de su buena voluntad, va a caer en la trampa, es decir que no captará el problema del desgarramiento político, la infamia dentro del aparente movimiento único, etc. Y si lo capta, como no es una vivencia para ella, no le interesará demasiado. Yo creo que frente a esto, lo que haremos Ugné *[Karvelis, segunda esposa de Cortázar y editora de Gallimard en esa época]* y yo es insistir para que Marie-Claude siga librando batalla por *Triste* sin mostrar la otra novela al editor o editores. Sigo creyendo que tu libro se publicará, y echaré mi cuarto a espadas como podés suponer y esperar. Pregunta: ¿la novela termina realmente al pie de la página 99? Ese diálogo me da la impresión de quedar trunco, pero como me decís que la versión no es la definitiva, tal vez un día me mostrarás el resultado. Me enamoré de Cerviño y de Juan, por supuesto; qué bien están los dos. En cambio Ignacio, tan presente al principio, desaparece (horriblemente) en forma acaso demasiado rápida; creo que merecía alguna etapa intermedia antes del final. Y comprendo que te preocupe el episodio Juan/mujer; tiene algo de compromiso, de meter el tema erótico un poco a la fuerza, para completar una gama. Hasta pronto, con un gran abrazo."

Carta de Julio Cortázar a Osvaldo Soriano
desde Saignon, Francia, agosto de 1976.

"El libro recién aparecería en 1980 en España y tuvieron que pasar dos años más hasta que, en noviembre del año pasado, se publicó en la Argentina".

Entrevista telefónica con Mona Moncalvillo desde París, *Humor*, febrero de 1983.

"*No habrá más penas* vendió la edición completa en España en un mes. Lo que habla de la cantidad de argentinos que hay por allá. Creo que Noruega, Dinamarca y Suecia van a publicarlo el año que viene. […] Me puso contento que el libro te gustara y tomo nota de las reservas […]. No obstante releélo: no hay tanta dureza con el General, más bien contra quienes creyeron que él era quien no era; y en cuanto a las purgas, ¿quién podría hoy decir que se trataba de una táctica del General? Claro que no fue el único responsable. Leé más atentamente esas paginitas de entrada y verás que allí está la palabra *contribuyó* […]. Pero no hay que tener la memoria corta —tragedia de nuestra historia—; hoy cuando Bittel es levantado a las nubes, ¿nos olvidamos quién era entre 1973 y 1976? ¿Cambió? ¿Es un progresista ahora? Carajo, el punto estaba a la derecha de Lopecito, fue el organizador de los programas del Chaco. ¿O soy yo el de la mala memoria? Este círculo infernal entre burocracia y milicada es un sujeto a debatir largamente, si no… Como dice uno de los personajes de la novela, si Mattera o Bittel son peronistas, mejor borrarse. Entendámonos bien: o el peronsimo encuentra su vía hacia un poder popular democrático o no hay salida [...]. ¿Sabés que *La Razón* publicó el 25/10 un artículo elogioso sobre *No habrá más penas*? Debe ser, nomás, una novela antiperonista... Hasta recomienda su lectura. Que yo sepa no se consigue allá, ¿no? Si algún día pasás por una librería del centro, preguntá, por favor."

Cartas a Eduardo Van der Kooy durante 1980,
publicadas en *Clarín*, enero de 1999.

"La acción de *No habrá más penas ni olvido* se sitúa en la Argentina durante el último gobierno de Juan Domingo Perón, entre octubre de 1973 y julio de 1974. Luego de una larga lucha popular, Perón regresó al país en medio de una grave conmoción a la que él mismo había contribuido; su movimiento estaba dividido por lo menos en dos grandes facciones: aquella que lo veía como un líder revolucionario y otra que se aferraba a su ascendiente sobre las masas para impedir la victoria popular. Este malentendido —por absurdo que hoy parezca— es uno de los tantos orígenes de la tragedia argentina.

"Electo presidente, Perón iniciaría una implacable depuración de elementos izquierdistas de su movimiento. La juventud, cada día más golpeada y maltrecha, siguió reivindicando hasta el final su adhesión al líder. Calificados por Perón de *imbéciles*, de *imberbes irresponsables*, dirigentes y militantes de la organización guerrillera Montoneros y de la Juventud Peronista (estrechamente ligados) insistían en creer (o querían creer) que la furia del Jefe del Justicialismo era una argucia táctica más en su presunta lucha contra la oligarquía y el imperialismo. Trágica confusión. Hasta su muerte, el 1º de julio de 1974, Perón utilizó una curiosa estrategia de gobierno: descalificó como *infiltrados* a aquellos a quienes todo el país conocía como peronistas, incluso a viejos militantes de la primera hora (representados en esta novela por el delegado municipal Ignacio Fuentes) y bendijo como peronistas a muchos advenedizos que habían contribuido a su caída en 1955 y se batieron contra él hasta poco antes de su regreso (el personaje del martillero Guzmán los ejemplifica en el relato).

"En este momento histórico se sitúa *No habrá más penas ni olvido*. La acción se desarrolla en un pequeño pueblo de la provincia de Buenos Aires, donde todos los personajes se conocen entre sí. La maniobra de Perón y su ministro, José López Rega, cobra entonces dimensiones absurdas, grotescas. En realidad, este enfrentamiento sucedía en el anonimato de las grandes ciudades donde el terror se disimula en la multitud, en la incertidumbre creada por asesinos y víctimas sin uniforme. Como la novela lo sugiere, la batalla no podía sino facilitar la intervención de las fuerzas armadas, que completarían minuciosamente la liquidación de izquierdistas ya iniciada por los grupos fascistas. Era en los sindicatos controlados por la burocracia peronista, en la policía (al frente de la cual Perón nombró a sus más acérrimos enemigos de ayer), y en los ministerios dominados por la *verticalidad* justicialista, donde se reclutaban las temibles bandas armadas que *depuraban* a la juventud y a los honestos peronistas de la primera hora (dirigentes y militantes universitarios y obreros, diputados, gobernadores de provincias que habían dejado de ser útiles al proyecto reformista encabezado por Perón).

"El juego de masacre fue facilitado por los tremendos errores cometidos por la guerrilla (la peronista y la marxista) y sus brazos legales; por su candidez política, por la torpeza, el extremo dogmatismo y a veces la mala fe de sus dirigentes.

"No habrá más penas ni olvido excluye de la acción a todos los demás protagonistas políticos y sociales de aquel momento para ceñirse a esta satírica observación del fenómeno peronista."

Prólogo de Osvaldo Soriano para la primera edición en España de *No habrá más penas ni olvido*, que Bruguera Argentina debía suprimir, porque fue escrito a pedido "para explicar el jeroglífico político argentino a los europeos".

"La relación con Osvaldo Soriano no tuvo, tal vez, un comienzo amistoso porque en ese momento sacábamos con Abelardo Castillo la revista *El Ornitorrinco* y yo le hice una crítica muy dura a *No habrá más penas ni olvido*. Yo consideraba, y sigo considerando —sólo que ya no con la pasión con que ocurrían las cosas cuando estábamos todavía en carne viva— que el libro de Soriano no era una parodia, una exageración de la realidad, sino una simplificación de una realidad que estábamos padeciendo y que, para decirlo sin ninguna metáfora, nos estaba matando. *No habrá más penas ni olvido* toma un sector de la realidad nacional de los años 70 químicamente aislado del resto. En la novela no hay más que peronistas: peronistas buenos y peronistas malos. Lo que también es una simplificación, porque justamente no era tan clara la situación en los 70 y había ciertas zonas de intersección donde era muy difícil discriminar de qué lado estaban ciertos peronistas. La realidad nunca es tan simple. Además se sacaba de contexto a otros grupos de izquierda que no eran peronistas y grupos de derecha que no eran peronistas. En ese sentido estaba planteada mi crítica. Yo cuestionaba la novela y cuestionaba el prólogo que Osvaldo había hecho para publicar en el exterior. Porque *No habrá más penas ni olvido* fue publicada primero en el exterior, ya que Soriano estaba en el exilio y no había posibilidades durante la dictadura militar de publicar esa novela acá. Pero ese prólogo me pareció una versión tipo manual de Astolfi de lo que nos estaba pasando, una versión que en el exterior era tomada sin duda con mucha ansiedad porque todos los que sabían lo que estaba ocurriendo en la Argentina estaban ávidos de la historia argentina (pero vista esa historia desde adentro y desde lo que nos estaba pasando, me parecía cuestionable). En aquel momento, esa crítica fue realmente dura. Creo que tenía que ver con lo que nos estaba pasando a todos: la muerte que ejerció la dictadura militar nos destruyó a todos, estábamos todos lastimados (los que se habían ido y los que estábamos acá). Creo que durante mucho tiempo nos costó reconstruirnos, nos costó reconocernos, y hubo muchas polémicas, muchas discusiones y, sin duda, hubo también acusaciones injustas en algunos casos."

Liliana Heker, en el documental *Soriano*,
de Eduardo Montes Bradley.

"Cuando me senté a leer *No habrá más penas*, avancé tres, cuatro, veinte páginas, y de repente tuve una especie de revelación. Empecé a llamar a gritos a mi marido: *¡Vení, mirá, esto no se puede creer, es increíble, mirá lo que está haciendo este hijo de puta, no se puede creer!* Porque Soriano estaba contando lo que todos llamamos nuestra historia reciente, esa lucha entre la izquierda y la derecha del peronismo, como si fuera una película de cowboys. Era maravilloso porque eso no lo hacía superficial: de pronto te hacía tomar conciencia de otras posibles miradas de lo que nos estaba pasando. Porque esa forma de contar que él descubrió, completamente nueva en la literatura argentina, servía para que el lector pudiera profundizar en la idea que tenía de sí mismo, de su país, de su época, del momento en el que le había tocado vivir. Me pareció fantástico."

Ana María Shua, en el documental
Soriano, de Eduardo Montes Bradley.

"No creo que sea lo mismo la soledad en Dinamarca que la soledad en la Argentina. No es que descalifique la soledad del pobre dinamarqués. Una persona se puede sentir como la mierda en cualquier país, pero el dinamarqués va y se suicida; en cambio aquí la soledad nos acompaña desde el nacimiento, junto con la idea de que hay pocas maneras de incidir en el curso de nuestras vidas, porque estamos más expuestos a las vicisitudes del país que a las propias. Un argentino, en lugar de suicidarse, deambula. O se mete en problemas. Si pienso ahora en los personajes de *No habrá más penas ni olvido*, esos peronistas que se pelean a muerte, hasta el día anterior estaban lo más bien, no pasaba un carajo, todos amigos en el pueblo. El día que empieza la novela ninguno puede prever que tendrá un *destino argentino*, un destino histórico. Son personas de una clase social muy precisa, tipos que nunca serán ricos, ni aspiran a serlo, y de pronto un día la historia los alcanza y los arrastra. Y terminan, los que terminan vivos, enfrentados a muerte. Porque así es la historia argentina: te arras-

141

tra. No hay necesidad de remontarnos al origen; miremos nada más que los años 60 o 70: Fulano daba un paso y después lo arrastraban cinco pasos más y después ya estabas en medio del mar y había que nadar."

Entrevista con Luis Bruschtein,
Página/12, octubre de 1995.

"Me parece que la primera frase de la novela, ese *Tenés infiltrados*, es la mejor metáfora de lo que fue el peronismo, de la paranoia desatada y la persecución y el macartismo en el seno del peronismo. Y la última frase, ese *Un día peronista*, cuando sale el sol y los han destrozado, muestra al mismo tiempo lo que tenía el peronismo de apuesta de gente simple, humilde y honesta, y la catástrofe que significó. Creo que hay que leer *No habrá más penas ni olvido* para saber lo que Soriano pensaba del peronismo. Ni en pro ni en contra, lo que él diferenciaba era el peronismo de arriba del de abajo. Eso lo tenía muy claro."

Félix Samoilovich, en el documental
Soriano, de Eduardo Montes Bradley.

"La lectura de *No habrá más penas ni olvido* fue un shock. Osvaldo todavía estaba en París. Lo llamé, le dije quién era y que quería llevar su novela al cine. Lo hice con cierto temor: él era un exiliado y yo me había quedado en el país. Pero Soriano reaccionó muy bien, me dijo que nada mejor que el director de *La*

Patagonia rebelde para dirigir ese proyecto. Le propuse a Roberto Cossa como adaptador y le gustó mucho la idea: Tito era un dramaturgo con un talento narrativo muy especial, además manejaba muy bien ese humor ácido propio de la obra del Gordo. Y era amigo de ambos. Soriano vio la película ya terminada y le gustó mucho, salvo por un par de detalles que criticó. Especialmente uno: que yo había incluido un cartel que decía *Para un peronista no hay nada mejor que otro peronista*, y a ese cartel lo perforaban los balazos que los peronistas atacantes tiraban a los que estaban atrincherados en la delegación municipal. Consideró que era un toque gorila, y quizá tenía razón. [...] *No habrá más penas ni olvido* fue una película conmocionante, que llegó en el momento preciso: cuarenta días antes de las elecciones en las que —por primera vez desde su nacimiento— el peronismo fue derrotado en las urnas. Al año siguiente, con Osvaldo y Federico Luppi compartimos en Berlín la alegría del Oso de Plata, el premio de los críticos y el de los exhibidores europeos."

Héctor Olivera, en el "Homenaje a Osvaldo Soriano" de *La Maga*, septiembre de 1997.

"El centro de los conflictos argentinos se expresa y visualiza, sobre todo, en el peronismo. En él aparece lo mejor y lo peor. Cuando uno observa el peronismo con la visión antropológica que yo sostengo, se encuentran los problemas más en carne viva que cuando uno observa el radicalismo, que expresa a grupos y sentimientos que tienden a limar asperezas, a hacernos creer que somos civilizados, tranquilos, previsibles. El peronismo no lima nada, pone todo arriba de la mesa y resulta que hay de todo: diamantes con basura, computadoras con una plancha vieja, cajas viejas y tornillos. Es la Biblia con el calefón. Por eso es más espejo de nuestra sociedad, con sus vicios y virtudes, su xenofobia y fascismo, sus utopías y sueños. Si *No habrá más penas* es mi novela más política, es porque sus personajes y consignas son peronistas."

Entrevista con Sergio Kiernan,
La Semana, septiembre de 1987.

"Yo estaba en París y a veces los domingos llamaba a *Clarín* a mi amigo Eduardo van der Kooy, que me adelantaba alguna información sobre el país y los resultados de San Lorenzo. Uno de esos domingos, hacia el final de la conversación, me felicitó por el libro mío que estaba en las listas de best-sellers. Yo no podía creer que fuera *Triste, solitario y final*, después de tantos años. Pero era *No habrá más penas ni olvido*, en una edición que había hecho Bruguera en la Argentina sin consultarme. Inmediatamente me contacté con la editorial en España, me confirmaron que el libro encabezaba la lista de best-sellers argentina y me invitaron a la Feria del Libro del 83. Así fue como volví al país, con el raro privilegio de ese fenómeno absolutamente extraño para mí, que aún me sigue sorprendiendo."

Entrevista con Graciela Speranza,
Página/12, junio de 1992.

"Creo que esta situación, sin que yo me lo proponga, me debe haber granjeado muchos odios. Y la verdad es que es una historia que me incomoda bastante porque no es el rol que hubiera querido desempeñar: ser best-seller tiene una tradición de desprestigio que yo mismo compartía. De hecho, difícilmente me interesó o compré alguno de los libros que nutren esas listas. Pero a partir de 1983, con el restablecimiento de la democracia y el enorme golpe de suerte que significó para mí el éxito de *No habrá más penas ni olvidos*, tuve que empezar a convivir con esas contradicciones, recordándome que escribo tan libremente como cualquier autor y que sería necio rechazar esa situación de privilegio que me otorga la sociedad."

Entrevista de Verónica Chiaravalli,
revista *La Nación*, agosto de 1996.

"Finalmente, llegó el momento de la vuelta. En febrero del 83, un mes antes de tomar el avión, me escribía: *Imaginate cómo estoy, lo que siento. Es el fin de este exilio que se me vino después de irme (y no antes, como vos sabés): todos los temores metafísicos me asaltan. Quiero sentirme bien, carajo, como que aquélla es mi casa.* Soriano aterriza en Ezeiza la mañana del 27 de marzo de 1983, en compañía de Catherine. Baja del avión con demasiado abrigo para un Buenos Aires todavía caluroso. Soriano pide al remís que lo conduce desde el aeropuerto al departamento donde va a vivir que se desvíe y circule por Callao; al llegar al cruce con Corrientes, le solicita al chofer que baje la velocidad. Ha llegado a casa."

Tito Cossa, suplemento especial
de *Página/12*, enero de 1998.

Índice

España
Av. Diagonal, 662-664
08034 Barcelona (España)
Tel. (34) 93 492 80 36
Fax (34) 93 496 70 58
Mail: info@planetaint.com
www.planeta.es

P.º Recoletos, 4, 3.ª planta
28001 Madrid (España)
Tel. (34) 91 423 03 00
Fax (34) 91 423 03 25
Mail: info@planetaint.com
www.planeta.es

Argentina
Av. Independencia, 1668
C1100 ABQ Buenos Aires
(Argentina)
Tel. (5411) 4382 40 43/45
Fax (5411) 4383 37 93
Mail: info@eplaneta.com.ar
www.editorialplaneta.com.ar

Brasil
Av. Francisco Matarazzo,
1500, 3.º andar, Conj. 32
Edificio New York
05001-100 São Paulo (Brasil)
Tel. (5511) 3087 88 88
Fax (5511) 3898 20 39
Mail: psoto@editoraplaneta.com.br

Chile
Av. 11 de Septiembre, 2353, piso 16
Torre San Ramón, Providencia
Santiago (Chile)
Tel. Gerencia (562) 431 05 20
Fax (562) 431 05 14
Mail: info@planeta.cl
www.editorialplaneta.cl

Colombia
Calle 73, 7-60, pisos 7 al 11
Bogotá, D.C. (Colombia)
Tel. (571) 607 99 97
Fax (571) 607 99 76
Mail: info@planeta.com.co
www.editorialplaneta.com.co

Ecuador
Whymper, N27-166, y A. Orellana,
Quito (Ecuador)
Tel. (5932) 290 89 99
Fax (5932) 250 72 34
Mail: planeta@access.net.ec
www.editorialplaneta.com.ec

Estados Unidos y Centroamérica
2057 NW 87th Avenue
33172 Miami, Florida (USA)
Tel. (1305) 470 0016
Fax (1305) 470 62 67
Mail: infosales@planetapublishing.com
www.planeta.es

México
Av. Insurgentes Sur, 1898, piso 11
Torre Siglum, Colonia Florida, CP-01030
Delegación Álvaro Obregón
México, D.F. (México)
Tel. (52) 55 53 22 36 10
Fax (52) 55 53 22 36 36
Mail: info@planeta.com.mx
www.editorialplaneta.com.mx
www.planeta.com.mx

Perú
Av. Santa Cruz, 244
San Isidro, Lima (Perú)
Tel. (511) 440 98 98
Fax (511) 422 46 50
Mail: rrosales@eplaneta.com.pe

Portugal
Publicações Dom Quixote
Rua Ivone Silva, 6, 2.º
1050-124 Lisboa (Portugal)
Tel. (351) 21 120 90 00
Fax (351) 21 120 90 39
Mail: editorial@dquixote.pt
www.dquixote.pt

Uruguay
Cuareim, 1647
11100 Montevideo (Uruguay)
Tel. (5982) 901 40 26
Fax (5982) 902 25 50
Mail: info@planeta.com.uy
www.editorialplaneta.com.uy

Venezuela
Calle Madrid, entre New York y Trinidad
Quinta Toscanella
Las Mercedes, Caracas (Venezuela)
Tel. (58212) 991 33 38
Fax (58212) 991 37 92
Mail: info@planeta.com.ve
www.editorialplaneta.com.ve

Grupo Planeta   Booket es un sello editorial del Grupo Planeta   www.planeta.es